Amrit Stein

Der Weg des spirituellen Tanzens

Dynamik – Trance – Ekstase – Befreiung
Der indische Kathaktanz als Weg zur Entfaltung
spiritueller und schöpferischer Kraft

WINDPFERD

1. Auflage 1995
© by Windpferd Verlagsgesellschaft mbH, Aitrang
Alle Rechte vorbehalten
Umschlaggestaltung: Wolfgang Jünemann,
unter Verwendung eines Fotos von Claus Pfeiffer
Zeichnungen: Ute Rossow
Fotos: Claus Pfeiffer, Joachim Giesel (S. 65),
Ken Ishibashi (S. 103), John Panikar (S. 165), Tetsuo Nihei (S. 173)
Gesamtherstellung: Schneelöwe, 87648 Aitrang
ISBN 3-89385-148-8

Printed in Germany

Inhaltsverzeichnis

Widmung

Ich danke meinem Großvater Fritz dafür, daß er mir so viele spannende Geschichten erzählt hat. In keinem Buch hätte ich sie lesen können. Sie alle wurden erfunden, während er sprach. In Indien wäre er vielleicht ein Kathak geworden, ein Geschichtenerzähler im Tempel. Ich verdanke wohl ihm die vielen Bilder, die mir beim Tanzen einfallen.

Als Tänzerin lebe ich meinen Körper täglich von neuem. Er ist mir kein Werkzeug. Ich bin mein Körper, teile seine Natur und Vergänglichkeit. Das eben noch durch Tanz Erschaffene entschwindet schon im nächsten Moment. Doch hinterläßt es Spuren: auf meiner Haut, in meinen Muskeln, in meinem Bewußtsein. Und der leer anmutende Raum ist durch meinen Tanz lebendig geworden: in ihm schwingen jetzt Formen, Rhythmen, Empfindungen. Ich hingegen fühle mich nach dem Tanzen leicht wie eine Feder. Grenzenlosigkeit umgibt mich, ich spüre mein innerstes Wesen: meine Seele.

Dank

Mein besonderer Dank gilt Angela Terzani, die trotz ihres so ausgefüllten Lebens immer Zeit fand, mich beim Schreiben dieses Buches mit ihrem einfühlsamen Rat zu unterstützen. Weiterer Dank geht an Dr. Vanamali Gunturu für seine Beratung bei der Transliteration aus dem Hindi, Urdu und Sanskrit und an meinen Freund Dr. Ulrich Loseries für seine Hilfe bei der Korrektur. Sehr wertvoll war mir die Ermutigung durch meine Freunde Ayshen und Franz Binder, Lore und Guy Maschner sowie durch die Fachkolleginnen der beiden Tanzschulen Nrityabharati und Kadamb. Meinem Mann Tetsuo Nihei danke ich für sein Verständnis und für seine Geduld. Besonders gedenke ich der Kathak-Dynastien vergangener Generationen, die das Erbe des Kathak bis zur heutigen Zeit weitergaben.

Vorwort

In der Begegnung mit dem Fremden wird der Mensch ganz wach und erlebt eine Mischung von Faszination und Schreck - Vertrauen und Mißtrauen - Zuneigung und Abneigung. Durch dieses intensive Erleben steigert sich die Aufmerksamkeit zum Rausch. Vor den Augen des Künstlers tut sich eine Bühne voller ungeahnter Möglichkeiten auf, auf der das Eigene dem Fremden gegenübertritt; das Fremde wiederum versucht das Eigene in den Hintergrund zu drängen, aber das Gedrängte gibt den Kampf nicht auf... Hier wird das Unbekannte, gleich einem Traum Diffuse und das Eigene unbestimmt. Die beiden gewinnen schärfere Konturen. In so einem Rausch offenbart sich der Sinn der Kunst, der das Profane mit dem Sakralen verbindet und das Banale von dem Besonderen nicht trennen läßt. So haben selbst die unrhythmischen Geräusche des Ventilators oder das gebrochene Englisch des Meisters ihren Platz in der gesamten Erfahrung Amrits, ja sie liefern sogar den Takt zu den fließenden Tanzformen und Legenden. Amrit läßt sich von den indischen Tanz-Meistern und von den Weisheit tragenden Legenden mitreißen. Ihr Zugang zu Indien ist nicht der eines Akademikers, der sich mit primärer und sekundärer Literatur, mit Tabellen und Jahreszahlen, den Zugang zu seinem Zielland verbaut. Amrits Zugang zu Indien ist durch den von der Seele gelenkten Körper und die ausdrucksvollen Körper indischer Tänzer geprägt. Dies offenbart ihr mehr als nur einen anmutigen Formenfluss. Sie versetzen sie in die uralten Mythen Indiens, die den indischen Geist geprägt haben. So ist dieses Buch kein reines Lehrbuch, auch keine ethnologische Abhandlung noch eine gesellschaftliche Analyse Indiens. Amrits Werk spiegelt eine hautnah und seelentief erlebte Welt und deren mystische Kunst wieder, die ihre Persönlichkeit tief geprägt haben. In unseren Tagen, wo über multikulturelle Gesellschaft und Völkerverständigung viel geredet wird, ist das Werk Amrits ein Stück getaner Arbeit.

Vanamali Gunturu (Dr. phil.)

Einleitung

Nach einer Ausbildung in Ballett und Ausdruckstanz entdeckte ich den indischen Tanz. Seine Sinnformen sind mir durch die Begegnung mit einer Meisterin der Tanzkunst schließlich zum Weg geworden. Ich schätze mich glücklich, an einer jahrtausendealten Tradition teilzuhaben, die auf dem Wissen von der Verbundenheit des Körpers mit feineren geistigen Kräften beruht. Denn im Verständnis der Inder öffnet der Tanz einen Weg zur Befreiung der Seele, er ist ein Gebet des Körpers an das „Große Formlose", ein Abglanz der in sich vollendeten Urbewegung des Kosmos. Die klassische indische Tanzkunst (mit ihren regionalen Varianten) zeichnet sich durch diesen einzigartigen beseelten Körperausdruck aus. In ihrer ungebrochenen Kulturtradition verbindet sie den Mythos vom Tempel mit dem sich ständig wandelnden Heute.

Das vorliegende Buch soll etwas jener Vollkommenheit vermitteln, die in der Tradition und in den Riten des in Nordindien beheimateten Kathak-Tanzes bis heute erhalten geblieben ist. In der Auseinandersetzung mit der indischen Lebensweise führt es in eine geheimnisvolle, doch keineswegs nur romantische Welt ein: in eine Welt, in der die in ihrem Spitzentanz scheinbar über den Boden schwebende Ballerina der barfüßigen, den fruchtbaren Mutterboden bestampfenden indischen Tänzerin begegnet und in der auch ein von Mensch und Natur getrennter, allmächtiger Gott der alten Göttin Erde begegnet.

Meine Erfahrungen während der Ausbildung im Kathaktanz an der Nrityabharati-Tanzschule sind keineswegs nur für am Tanz Interessierte von Bedeutung. In den körperlichen und geistigen Tanz-

Übungen geht es um einen umfassenden kreativen Prozeß: einen Prozeß, der die Technik auch immer mit der Dynamik einer inneren Wandlung verbindet und in dem die eigene Vision (von einem vollkommenen Tanz) an der Wirklichkeit der sich auftuenden Ausdrucksmöglichkeiten (und ihrer schier endlosen Schritte) erprobt wird. Die so oftmals wiederholte Übung wird schließlich zum Spiegel der Erkenntnis, zu einem täglichen Ritual, das in sich schon den Keim zukünftiger Vollendung trägt.

Während meiner Tanzausbildung war mir meine Meisterin Shrimati Rohini Bhate, eine der großen Tänzerinnen und Choreographinnen des heutigen Indiens, eine Inspiration. Durch sie lernte ich die Fähigkeit zur Selbstaufgabe, Disziplin und Ausdauer. Ihre einfühlsame Art und ihre präzise Anleitung vermittelten mir Schritt für Schritt die komplexe Technik und die tiefere Bedeutung des Kathak. Die mit dem Tanz verbundene Lebensphilosophie eröffnete mir bisher ungeahnte geistige und schöpferische Perspektiven. Die fremden Schritte und Gesten stellten jedoch meine gewohnten Verhaltensweisen zunächst in Frage. Zeitweise tanzte ich mich durch ein Gewirr der Emotion: Freude, Harmonie und Ekstase, aber auch Monotonie und Ungewißheit. Ganz gleich, welche Stimmung sich meiner bemächtigte, ich übte einfach weiter: ließ die Füße flach und im Rhythmus auf den Steinboden aufschlagen, vollzog die gradlinigen, fließenden Armbewegungen und die blitzschnellen Drehungen. Langsam formte sich in mir eine Kraft, die heute mein Leben mitbestimmt – ganz gleich, was ich gerade tue. Es ist die unbeirrbare, innere Kraft, die jeder wahren Übung zugrunde liegt.

Es ist mir ein Anliegen, in meinem Buch die Weisheit und Lebenserfahrung Rohinis mit anderen zu teilen. Die zahlreichen Gespräche mit ihr habe ich nicht aufgezeichnet, wohl aber ist all das Bedeutungsvolle in meiner Erinnerung erhalten geblieben. Sofern es nicht um Kathak-Technik und Erklärungen der dem Kathak eigenen Begriffe geht, habe ich die Dialoge mit Rohini frei nachgestaltet. Möge sie mir meine Fehler verzeihen.

Auch meiner neuen Tanzmeisterin Kumudini Lakhia, bei der ich den Kathaktanz seit Dezember 1993 weiter erlerne, danke ich. Die in Kapitel 1, Seite 29 aufgezeigten Parallelen in der besonderen Verwendung der Handhaltungen im Kathak und Manipuri-Tanz sind durch ihre Anregungen zustandegekommen. Frau Kumudini Lakhia, die in Ahmedabad die schöne und populäre Tanzschule Kadamb leitet, lehrte mich auch das in Kapitel 6, Seite 148 beschriebene Liebeslied im Stil des Gasal, einer aus dem Persischen abstammenden Liedform.

Für diejenigen Leserinnen und Leser, die sich selbst einmal in der Technik des Kathak versuchen möchten, habe ich am Ende jedes Kapitels eine Reihe praktischer Übungsanleitungen zusammengestellt. Dieser praktische Teil beinhaltet ein stark vereinfachtes System zum schrittweisen Erlernen des Kathak-Tanzes. Die Übungen bauen in ihrer Reihenfolge aufeinander auf. Sie tragen jeweils Hinweise zu den entsprechenden, ausführlicheren Erläuterungen zur Technik und der sie untermalenden tänzerischen Idee im Buchtext. Das letzte Kapitel enthält Anregungen zu einer freien Umsetzung der Stilmittel des Kathak und zeigt Möglichkeiten zur Improvisation, zur bewußten Gestaltung und zum einfachen Spiel auf. Es eignet sich daher für alle, die in tänzerischen und pädagogischen Bereichen tätig sind.

Ins Fließen kommen

Kapitel 1

Einweihung

Fast schwerelos und mit anmutigen Bewegungen gleitet der Tänzer durch den Raum. Verinnerlichte Ekstase spiegelt sich in seinem Gesicht, die Stirn ist mit Schweißperlen übersät. Mir ist, als hebe sein gelöster Körper die kühle, rechteckige Struktur des Raumes auf, als seien seine feinen Glieder im Fließen begriffen. Die Füße berühren den dunkel glänzenden Steinboden sacht und liebevoll, während seine Arme und sein biegsamer Oberkörper sich in einem Spiel graziöser, kontinuierlicher Formen verfangen. Nirgends eine abrupte Bewegung oder ein scharfer Akzent. Sein Tanz ist strömende Leichtigkeit, und eine nahezu entrückte Freude umgibt ihn wie eine unsichtbare Wolke. Einziges Geräusch ist das Klicken des Deckenventilators, der träge die schwüle Luft zerschneidet und, draußen, das Zirpen der Grillen.

Worte würden diese erhabene Stille aufbrechen. Als Masterji seinen Tanz beendet hat, stehe ich mit einer leichten Verbeugung auf. „Also dann bis morgen", sagt er in gebrochenem Englisch und legt sich das eine Ende seines langen Wollschals über die Schulter. Ich schließe die schweren Holzverschläge, mache das Licht aus und drehe den langen, rostigen Eisenschlüssel im Schlüsselloch um.

Die Ruhe, die von Masterjis Tanz ausging, hat sich auf mich übertragen, aber ihr Ursprung ist für mich von einem Geheimnis umgeben.

Unsere erste Begegnung liegt nur einige Tage zurück. Er hatte mich dabei unvermittelt gefragt, ob ich den indischen Manipuri-Tanz lernen wolle, um in Deutschland damit aufzutreten. „Nein", hatte ich geantwortet. „Ich will in die Tiefe des Tanzes eindringen und mich selbst darin widerspiegeln." Damit hatte ich den Test unvermutet bestanden. Masterji wurde mein Tanzlehrer.

Zur Zeit jener ersten Begegnung hatte ich keine klare Vorstellung von dem Tanzstil, den Masterji an der Universität in Santiniketan lehrte. Er hatte mir lediglich erzählt, Manipuri-Tanz sei ein Sammelbegriff für die klassischen Tänze des im äußersten Nordosten Indiens angesiedelten Staates Manipur, und ich hatte ihm auch keine weiteren Fragen mehr gestellt. Mich fesselte am indischen Tanz zunächst die Auseinandersetzung mit dem Unbekannten schlechthin, ich hoffte, dabei auch unbekannte Teile meiner selbst aufzudecken. Zudem war Tanz aufgrund meiner vorangegangenen Tanzausbildung in Deutschland das mir am nächsten liegende Ausdrucksmittel.

Dazu kam, daß mir Masterji gleich bei unserem ersten Treffen gefiel. Sein richtiger Name ist Amubhi Singh. Masterji, was soviel wie Meister heißt, gilt als die respektvolle Anrede von seiten seiner Schüler und weist auf seinen hohen Rang als Meister der Tanzkunst hin. Er ist ein zierlicher Mann mit einem hageren, durchtrainierten Körper und einem schönen, ausdrucksvollen Mund. In seinen Augen lag immer ein hintergründiger, prüfender Blick, der ihn zur Welt in Distanz setzte. Als brillanter Tänzer und Kenner seiner Tradition war er hoch geschätzt, hatte aber zugleich den Ruf eines schwierigen und eigensinnigen Menschen. Im zweiten Stock seines Wohnhauses gab es einen geheimnisvollen Raum, in den er sich oft tagelang allein zurückzog und den nur er betreten durfte. Gewöhnlich war er schweigsam und verschlossen und wirkte immer etwas verträumt.

Jedesmal, wenn ich zum Unterricht erscheine, bleibt Masterji noch eine Weile rauchend auf der runden Gartenbank gegenüber dem Tanzraum sitzen. Diese Bank im Schatten einer weit ausladenden Baumkrone ist sein bevorzugter Platz. Während er dort noch in langsamen Schlucken an seiner Tasse Tee trinkt, öffne ich schon die Türen und Fensterläden des Übungsraums, bis er sich schließlich träge erhebt und auf den Übungsraum zuschlendert. Lediglich einen hölzernen Stock bei sich tragend, kauert er mit überkreuzten Beinen auf der zur Wand gerückten, schmalen Sitzbank nieder. Vorsichtig legt er den Stock, mit dem er das Grundmetrum angibt, zur Seite und wirft mir einen langen, nachdenklichen Blick zu. „Okay", sagt er mit dem ihm eigenen, langgezogenen Tonfall und verschränkt seine hageren

Hände. Sein sonst so unbewegliches Gesicht hellt sich für einen Moment auf, der Stock wirbelt plötzlich zwischen seinen Fingern, und Bewegung kommt in den Raum.

Wir beginnen mit den Chalis, einfachen Tanzschritten zu einem achtschlägigen Metrum. Ihr Aufbau enthält die grundlegende Form des Tanzes. Mir kommen diese Schritte wie eine erste, unausgesprochene Einweihung in die von Mystik durchwobene Welt des Manipuri-Tanzes vor. Masterji demonstriert zuerst die leicht auswärts gedrehte Position der Füße, die, abwechselnd auf und ab federnd, immer wieder sacht und behutsam den Boden berühren. Dann setzt er sich und läßt mich diese eine Bewegung etliche Male langsam wiederholen. Sein Stock schlägt im Takt auf der Kante der Sitzbank auf, und ich spüre den kalten, festen Boden unter mir. Meine Fußsohlen rollen auf und ab und werden zum Wiegebett für den Rest meines Körpers. Masterji gibt sich beim Unterrichten den Anschein, als träume er vor sich hin. Nur hin und wieder sieht er flüchtig auf, um sich über den Fortschritt meiner Bemühungen zu vergewissern. Will er zuerst die richtige Grundstellung der Füße feststellen, bevor er mich in der weiteren Technik des Tanzes unterweist? Während meine Füße unbekannten Boden ertasten, bin ich zeitweilig wie er in ganz anderen Gedanken versunken.

Schließlich beginnt er, mich die schönen und gehaltvollen Zeichen der sprechenden Hand, die Mudras, zu lehren. Bewegt Masterji seine Hände, gleichen sie kleinen, sich aufdrehenden Fächern, deren einzelne, feingeschwungene Glieder fließend ineinander übergehen. Seine dunkle, magere Hand kann sich vom Handgelenk in einem steil abknickenden rechten Winkel nach oben aufstellen, wobei sich seine Finger noch weiter nach hinten durchdrücken. Die graziöse Linie seiner Hand, einem gespannten Bogen gleich, wird durch den besonders langgewachsenen und feingefeilten Nagel seines kleinen Fingers hervorgehoben. Wie er mir erzählt, ist dieser lange Fingernagel ein Privileg der Musiker und Tänzer, deren Hände keine rauheren Tätigkeiten, wie Haus- oder Feldarbeit, zu verrichten haben.

Meine Aufgabe ist es, die aufgerichteten und zusammengehaltenen Finger nacheinander nach innen, zur Handfläche hin, und dann wieder kreisförmig nach außen zu drehen. Ein Finger soll die Bewegung des nächsten nach sich ziehen, als seien sie durch unsichtbare Gummibänder verbunden. Gleichzeitig rotiert die Hand im Handgelenk, und die Ellenbogen werden, leicht angewinkelt, seitlich von der Brust gehalten. Ganz anders als bei der eintönigen Fußarbeit bedarf diese Handbewegung meiner ganzen Aufmerksamkeit. Bald werden meine Arme bleiern und sinken unmerklich herab. Ich spüre einen stechenden Schmerz im Oberarm und im Handgelenk.

Ich sehe auf meine kräftigen, geformten Hände. Sie haben gelernt, Worte auf blankes Papier zu schreiben, Lasten zu tragen und nach beliebigen Dingen zu greifen. Sie können halten und loslassen, zärtlich sein und Abneigung ausdrücken. Als unerläßliche Werkzeuge im täglichen Leben sind sie immer aktiv. Ein fesselndes Gespräch erweckt ihre spontanen Gesten und läßt diese den Worten nacheilen. Mit ihnen konnte ich die Tränen meiner Kindheit trocknen und heimlich ein ungewolltes Lachen verbergen. Aber noch niemals zuvor waren sie durch die Leere des Raumes geglitten, Zwecken entfremdet und sich selbst tragend. Sie wollen zu mir in einer Sprache sprechen, angeblich ihrer eigenen, die ich nicht verstehe. Sich selbst überlassen, mit ihren vor Anstrengung zitternden Fingern, tun sie sich schwer. Sie wirken auf mich fremd und tastend, ungeschickt und rührend zugleich.

Jetzt kann ich meine Arme nur noch mit Mühe aufrecht halten. Ob Masterji endlich seinen Blick heben wird, um mit einem kurzen Kopfnicken meine Qual zu beenden? Wie viele neue Elemente enthält nun diese einzige, optisch so leicht nachvollziehbare Bewegung? Wie lange wird es dauern, bis mein Körper sich diese unbekannten Ausdrucksformen einverleibt? Und was würde das Ergebnis dieses sicherlich zeitraubenden Vorgangs sein? Meinem Lehrer scheint es keineswegs an Zeit und Geduld zu mangeln, aber werde ich selbst dieselbe Ausdauer aufbringen können?

Endlich gibt Masterji das ersehnte Zeichen. Er tut es durch das unverwechselbare indische Kopfschütteln, einer Geste, die unserem „Nein" verwandt ist, wobei er den Kopf einige Male seitlich hin und her wiegt. Ich setze mich zu Füßen meines Lehrmeisters. Wie immer, wenn er mir etwas auf Englisch erklären möchte, erscheint eine steile Falte zwischen seinen Augenbrauen. Dann werden seine Hände auf einmal aktiv, ihr gekonntes Gestikulieren gibt seinen Gedanken Gestalt und zieht schwer verständliche Sätze nach sich. Mir fällt auf, wie schön er ist.

„Unser Körper ist ein Seelenkörper", beginnt er, „er ist beflügelte Materie, luftig und schwer zugleich. In Wirklichkeit besteht er aus einer dichten Überlagerung verschiedener Körper: das Becken wird dem Wurzelkörper zugeordnet, der Erde, unseren Trieben, Instinkten und Sinnen. Gegenpol zum Wurzelkörper ist der feinstoffliche Körper, der als Sitz unserer geistigen Fähigkeiten im Kopfbereich zu Hause ist. Der schwere Erdkörper und der luftige, geistige Körper werden durch die immerfort ausgleichende Bewegung des Oberkörpers, des sogenannten Gefühlskörpers zusammengehalten. Im Manipuri-Tanz übernimmt der biegsame Oberkörper die Rolle eines Vermittlers: seine fließende, weiche Bewegung vereint die polaren Körperzonen und schlägt damit einen weiten Bogen zwischen jenen am weitesten voneinander entfernten Elementen – Himmel und Erde.

Begegnen sich Himmel und Erde, Transparenz und Festigkeit, jemals wirklich?" fragt Masterji mich.

„Ja, am Horizont", antworte ich. Er nickt zustimmend. „Aber auch während der Regenzeit, wenn die himmlische Flut den aufgepflügten Schoß der Erde befruchtet", fährt er fort, „und in der verborgenen Seele des Menschen, die wir den Körper der wahren Freude nennen."

Er verfällt wieder in sein gewohntes Schweigen und gibt keinerlei Zeichen zum Aufbruch. Ich bewege meine vom Sitzen eingeschlafenen Glieder und erhebe mich. Kaum kann ich wieder stehen, fange ich erneut an zu üben.

Es muß gegen zehn Uhr sein, als wir an diesem Abend in die Dunkelheit hinaustreten. Masterji stößt einen überraschten Seufzer aus, und ich frage mich, ob er überhaupt kein Zeitgefühl besitzt. Er verabschiedet sich eilig. Ich habe meine Taschenlampe vergessen, denn hier gibt es Schlangen, und es ist besser, den Weg bei Nacht gut auszuleuchten. Vorsichtig taste ich mich durch den menschenleeren Universitätsgarten und scharre dabei mit meinen Schuhen im Sand, um die Kreaturen der Nacht zu warnen. Ich bin erleichtert, als schließlich die verstreuten Lichter der Straße vor mir auftauchen und ein Gemisch wandelnder Schatten preisgeben.

Seit ich an diesem abgelegenen Ort vier Zugstunden nördlich von Kalkutta wohne, empfinde ich die Nacht als sehr bedrohlich. Sobald sich die dichte Finsternis über die weite Steppenlandschaft herabsenkt, verstummen alle Laute, das Leben taucht plötzlich in eine geheimnisvolle und undurchdringbare, uferlose Schwärze ein. Lediglich die lastende Schwüle erinnert dann noch an den vergangenen Tag. Es ist, als warteten alle Lebewesen auf den Anbruch eines neuen Tages und lobten im stillen schon die Morgenröte, die endlich der Welt ihre Farben zurückgibt. Dann zieht die Göttin Usha mit ihren hundert Gespannen über das Himmelszelt und lichtet den Schleier der Dunkelheit. Sie haucht der Erde ihren warmen Lebensatem ein und bahnt Surya, dem mächtigen Sonnengott, den Weg. Auf den Hausaltären der Hindus werden Öllampen entzündet, und die Gläubigen nehmen ein rituelles Bad.

Diese Nacht liege ich noch lange wach und lausche dem dumpfen Trommelschlag und eintönigen Gesang aus den umliegenden Shantal-Dörfern. Die Begegnung mit Masterji hat in mir die Sehnsucht nach Selbstfindung wie ein längst schon verloschenes Licht neu aufflackern lassen. Auf eine mir unerklärliche Weise führen mich die neuen Tanzschritte immer weiter nach innen, in die weitläufigen Gefilde eines stets beherrschten Körpergefühls und in eine verwirrende Welt der Gefühle, der Erkenntnis und des Unvorhersehbaren. Manchmal verspüre ich den unbändigen Drang, diese makellosen und weichen Formen zu brechen, sie mit abrupten Kanten und impulsiven Akzenten zu versehen. Ich will mich dann aus dem traumartigen Zustand, in den die Bewegungen des Manipuri-Tanzes mich versetzen, herausreißen, um die Widersprüche meines Körpers auszuleben.

Die Vision, die den Tanz meines Lehrmeisters beflügelt, ist nicht der meinen gleich und kann es wahrscheinlich auch niemals werden. Die Götter des Hindu-Pantheons sind mir genauso fremd wie die Menschen, die sie einst erschufen.

„Allein Krishnas Tanz vermag die Leere im Menschenherzen auszufüllen", hat Masterji einmal bemerkt und hinzugefügt, der Gott Krishna bilde den Mittelpunkt aller Bewegung. Wenn er so in unserem schmucklosen, beinah düsteren Übungsraum tanzt, fangen seine Augen an zu strahlen, als gleite seine Seele zu einem geliebten Freund hin.

„Wer ist Krishna?"

„Nichts anderes als ein Teil meiner selbst", erhalte ich zur verschlüsselten Antwort.

Ich suche auch nach jener Kraft, welche den Tanz nicht zum Selbstzweck sondern zum Vehikel des Geistes macht. „Wahre Kraft schleudert sich nicht nach außen", hat mein Lehrer einmal bemerkt. „Sie sammelt sich im Inneren, wo sie vibriert und sich ständig erneuert." Verschafft ihm die Gestalt Krishnas einen Zugang zu dieser Kraft, öffnet sie ihm das Tor zu einer inneren Quelle, die letztlich aus ihm selbst entspringt?

In den folgenden Stunden lehrt Masterji mich eine neue Gangart, die einzelne tänzerische Bewegungen zu einer raumfüllenden Schrittfolge ausweitet. „Genau wie der Gang des Elefanten!" ruft er mir zu und schreitet vor mir her. Ich hebe die Augen und beobachte seinen federnden Schritt – er nennt das einen natürlichen Gang. Die gesamte Fußsohle soll ich auf einmal aufsetzen und, in den Knien federnd, mein Körpergewicht dabei sanft abfangen. Ich aber habe nach klassischer Tanzart die Gewohnheit, meinen Fuß von den Zehen her abzurollen, weshalb es mir nicht gelingt, seinen Elefantengang nachzuahmen. Es fehlt mir an vergleichbaren Anhaltspunkten. Gehen war mir bis jetzt etwas Selbstverständliches gewesen, es hatte keine weitere Aufmerksamkeit erfordert. Doch die gewundenen, lehmigen Pfade in der Gegend von Santiniketan sind eben anders als die feste Erde der mir vertrauten Umgebung zu Hause. Während meiner Ausflüge in die angrenzenden Dörfer balanciere ich hier auf rutschigen Anhöhen zwischen bewässerten Reisfeldern und sehe manchmal voller Bewunderung den barfüßigen, zierlichen Frauengestalten nach, die mit hohen Tonkrügen auf ihren Köpfen geschwind auf dem Gleis einer Eisenbahnschiene dahineilen, um den holprigen Weg zurück ins Dorf zu meiden.

Was die Ausführung der kleinen Tanzstücke, der Chalis, anbetrifft, so entwickelt Masterji einen zunehmenden Perfektionsdrang. Er begleitet meinen Tanz jetzt auf der „Pung-Trommel", deren harte Schlagfläche aus einer Mischung von Stahl und Reiskörnern angefertigt wird. Während er der beidseitig geschlagenen Trommel helle, magische Töne entlockt, besteht er unentwegt darauf, daß sämtliche meiner Bewegungen mit Leichtigkeit und Grazie ausgeführt werden. Der in sich versenkte, sanfte Gesichtsausdruck darf weder hart noch gefühlsbetont erscheinen, meine Darbietung soll frei von jeglicher Anstrengung wirken. Allen Bewegungen ist gemein, daß sie in Halbkreisen, Kreisen, Achten und Spiralen choreographiert sind, deren Rundungen der Körper fließend ausführen soll. Ich stelle mir beim Tanzen einen Boden aus Watte vor, über mir zarte, schwebende Wolken.

„Diese Rundbewegungen im Tanz", erklärt Masterji, „haben ihren Ursprung in der Huldigung der Schlangengötter." Eine Urform der Gottesanbetung hat hier also in den Bewegungen des Tanzes die Zeit überdauert.

„Sieh nur", fährt er fort und schreitet den Umriß einer Acht ab. "Diese Ziffer ist ein magisches Zeichen und stellt zwei ineinander verflochtene Schlangen dar."

Ich blicke auf die Acht, die sein gleitender Schritt auf dem Boden nachzeichnet. Die Verflechtungen ihrer beiden Kreise vermitteln auch mir das Bild einer untergeordneten Einheit, die mit dem übergeordneten Ganzen in Berührung bleibt. Ich sehe Masterji immer noch vor mir, wie er mir seine kunstvoll ineinandergefügten, spiralförmigen Drehungen in jenen ersten Stunden vormachte. Einer aufgerichteten Schlange gleich, war er dabei durch den Raum geglitten, hatte mit den Ausläufern seiner scheinbar unzähligen, biegsamen Arme frohlockt. Zauberstäben gleich zwirbelten sie flache Kreise in sich windende Spiralen. Mir selber war bei diesen gleitenden Drehungen jedesmal schwindelig geworden, meine Hände wurden dann zu verschwommenen, überdimensionalen Gebilden, die vor meinen Augen auf und ab tanzten. Doch an eine Schlange hatte ich dabei niemals gedacht.

Ist die Verehrung des uralten Schlangengotts vielleicht die treibende Kraft, die die Tanzform ursprünglich hervorgebracht hat? Und befolgt Masterji immer noch den alten Glauben an den Schlangengott?

„Du bist doch ein Verehrer des Gottes Krishna?" frage ich den Meister. „Sein Bildnis hängt doch über deinem Altar?"

Er schüttelt unwillig den Kopf: „Den Schlangengott, den hast du nur nicht gesehen. Gott hat unzählige Gesichter", fügt er noch hinzu, „aber die Schlange, sie ist unser ältester Gott."

Wenn Masterji einmal besonders gesprächig ist, dann ist sein Lieblingsthema zweifellos der Lai Haraoba, der Tanz zum „Fest der Götter". Der Lai Haraoba, ein uralter, ritueller Tanz und Vorläufer der klassischen Tanzkunst Manipurs, ist seinem Wesen nach eine verschlüsselte Kosmogonie, deren volle Bedeutung mit der Zerstörung der „Methei"-Kunst durch den König Pamheiba im Jahre 1719 jedoch verlorenging.

„Maibis und Maibas, Hohepriester und -priesterinnen, führen den Lai Haraoba an", beginnt Masterji zu erzählen, „doch nimmt das gesamte Dorf am Tanz teil. Während des Lai Haraoba fallen die Maibis und Maibas in eine Trance und äußern prophetische Weissagungen, die für das Wohl der Manipuris von größter Wichtigkeit sind."

„Prophetische Weissagungen?" frage ich ungläubig.

„Ja", antwortet er. „Die schon in ihrer Kindheit durch hellseherische Gaben ausgezeichneten Tempeldienerinnen sprechen dann aus dem Munde der Götter!"

„Und wie ist es möglich", frage ich weiter, „daß das gesamte Dorf, jung und alt, den Lai Haraoba tanzen kann?"

„Wir Manipuris haben eben eine angeborene Liebe zu Tanz und Musik", erwidert er. „Wir sind direkte Nachfahren der Gandharvas, himmlischer Wesen mit einem ausgeprägten Talent zum Singen und Musizieren. Die Gandharvas begleiten den Tanz der Apsaras, bezwingend schöner Nymphen. Ihre Tanzkunst", sagt er mit einem Lächeln, „hat schon so manchen Asketen der Hindu-Mythologie verführt."

„Und wo tanzen diese Apsaras?" frage ich ihn.

„Sie tanzen am Hofe des Gottes Indra zur Unterhaltung der Götter", antwortet er.

Masterjis Tanzkunst war zweifellos untrennbar mit den uralten Bräuchen seiner Vorfahren verbunden. Und daß der Vorläufer des Manipuri-Tanzes, der Lai Haraoba, von Trancemedien getanzt wird, überrascht mich keinesfalls. Hatte ich nicht bei jener denkwürdigen ersten Begegnung mit Masterji einen tranceartigen Zustand in seinem so hingebungsvollen Tanzen verspürt? Sein ganzes Wesen schien mit der Bewegung nach innen zu gleiten und dort eine Erfüllung zu finden, die jenseits des Beifalls des Publikums lag.

In mir entsteht der Wunsch, mit Masterji zusammen über die langen Sommermonate nach Imphal, der Hauptstadt Manipurs, zu reisen. Dort würde ich die Trancetänze der Priesterinnen sehen und Krishnas Tanzspiel in den Tempeln beiwohnen können.

In den nächsten Wochen bemühe ich mich vergebens um ein Visum für die Einreise nach Manipur. Mein Gesuch wird mit der Begründung abgelehnt, daß es in Manipur und in seinen benachbarten Gebieten Konflikte zwischen verschiedenen Stämmen gäbe, deren Vertreter einen eigenen Staat oder die Unabhängigkeit von Indien forderten. Enttäuscht und entmutigt gebe ich schließlich meinen Plan auf. Zwar hat mir die Begegnung mit Masterji eine neue Welt eröffnet, doch die wirkliche Teilhabe an ihrer Erkenntnis war mir durch äußere Umstände versagt geblieben. Manipur, der Ort, an dem der Tanz lebendig ist, war meinem Zugang verschlossen, und Masterji würde jetzt über die langen Sommermonate allein in seine Heimat zurückkehren.

Als wir uns ein letztes Mal zur Tanzstunde treffen, frage ich ihn, was denn der Höhepunkt des zur klassischen Blüte gelangten Manipuri-Tanzes sei. „Neben dem Lai Haraoba und den von Männern zu festlichen Anlässen getanzten Cholem-Tänzen", antwortet er ohne zu zögern, „sind es die Rasalila-Rundtänze zu Ehren des Gottes Krishna und seiner Geliebten Radha."

Er erklärt mir, die Grundlage zum Erlernen des Rasalila seien die Chalis, und sieht mich dann fragend an. „Ich bliebe so gerne ...", entgegne ich auf seine unausgesprochene Frage. Um unsere schwermütige Stimmung aufzulockern, bitte ich ihn, mir mehr über den Rasalila zu erzählen. Und Masterji erzähl

König Bhagyachandra war ein begeisterter Verehrer Krishnas und bekannte sich, wie schon sein Vorgänger Pamheiba, zum Vaishnavismus. Der Vaishnavismus preist das göttliche Liebespaar Radha und Krishna und wurde von Bhagyachandra im achtzehnten Jahrhundert zu Manipurs Staatsreligion erklärt. So eingenommen war der König von der Gestalt Krishnas, daß der Gott ihm im Traum er-

scheint und ihn bittet, seine Gestalt aus dem Holz eines bestimmten Jackfruit-Baumes nachzubilden und diesem Abbild fortan zu huldigen. Bhagyachandra findet den besagten Baum, läßt das Abbild des Gottes anfertigen und stellt die Statue in einem eigens für sie erbauten Tempel in Imphal auf. Daraufhin offenbart ihm Krishna den mystischen Rasalila-Tanz, der fortan zu Ehren des Gottes rituell aufgeführt wird.

„Der Rasalila ist ein sakraler Tanz der Einswerdung mit der Gottheit", fügt Masterji hinzu. Das Thema scheint ihn zu beflügeln, denn er wirkt plötzlich strahlend und lebendig: „Ich kann mich Gott durch Kontemplation nähern. Gott kann zum Meister, zum Freund oder zur Mutter werden. Ich kann Gott auch als sein ergebener Diener gegenübertreten. Aber mich Gott ganz hinzugeben, ihn als einen ewigen Geliebten zu begreifen, das ist für mich die höchste Form der Huldigung.

Krishna ist die kosmische Urkraft, Radha die individuelle Seele, die unablässig nach Vereinigung mit dem Ganzen, dem Wesensgehalt Krishnas, strebt", fährt er fort. „Zusammen halten die beiden die Schöpfung in Gang. Die symbolische Vereinigung des göttlichen Liebespaares im poetischen Zweitanz ist der Höhepunkt einer Rasalila-Aufführung. Auch ich habe Krishna einmal als Kind verkörpert", fügt er abschließend hinzu.

„Als Kind?", frage ich ungläubig.

„Die unschuldige Seele eines Kindes ist Gott am nächsten", erwidert er. „Als ich Krishna tanzte, kniete sogar mein eigener Lehrer vor mir nieder. Ich tanzte in einem Kreis, und war innerhalb dieses Kreises zu Krishna geworden."

„Fand der Tanz in einem Tempel statt?"

„In einem Mandapa", entgegnet er, „der dem Tempel angeschlossenen Tanzhalle."

Als kleinen Krishna, der in einem Tempel tanzt, kann ich ihn mir gut vorstellen, zumal sein Tanz heute noch eine derartige Ausstrahlung hat, daß er jeden gewöhnlichen Raum in einen Tempel verwandelt, in dem Krishnas Abbild heraufbeschworen wird.

An meinem letzten Abend begleitet Masterji mich durch den Universitätsgarten. Die Nacht ist sternenklar, wir gehen wortlos nebeneinander her. Aber ich spüre, daß er mir noch etwas sagen will. Auf einmal bleibt er stehen und zeigt auf den schattenhaften Umriß seines geliebten Baumes.

„Wir Menschen sind wie die Vögel", sagt er leise. „Bei Einbruch der Dämmerung suchen sie im Geäst eines Baumes Schutz, doch spreizen sie bei jeder neuen Morgenröte ihre Schwingen wieder und fliegen davon. Dieser Baum ist wie das Leben selbst."

Ich versuche das Bild nachzuempfinden. Steht der Baum für eine Etappe in der Kette der endlosen Wiedergeburten, oder, stellvertretend, für die verschiedenen Stufen in ein und demselben Leben, von denen wir, das Gewohnte hinter uns lassend, zu neuen Ufern aufbrechen? Bin ich der sich zum Flug bereitende Vogel, der langsam seine Schwingen spreizt und damit den bevorstehenden Abschied ankündigt?

Ich fühle mich Masterji sehr nah. In den vergangenen Wochen sind wir gemeinsam ein Stück Weges gegangen. Ohne viele Worte hat er sich mir im Tanz mitgeteilt, jede Bezahlung heftig zurückweisend. Obwohl ich ihm später nur noch einmal begegne, behält er für immer einen Platz in meinem Herzen.

Ins Fließen kommen: die Poesie der Hände

Die Mudras oder Hastas des klassischen indischen Tanzes sind ein Gestenalphabet für die Ausdrucksfähigkeit der sprechenden Hand. Der seit Jahrtausenden überlieferte Gestenkodex von dekorativen und Inhalte übermittelnden Gebärden wird in der Abhinaya Darpana, dem Spiegel der Geste, einer Abhandlung über Dramaturgie und Tanz, ausführlich erörtert. Der Abhinaya Darpana ist eine spätere Ergänzung zum Natya Shastra, der ältesten und umfangreichsten Drama- und Tanzschrift der Welt.

Die in dem vorliegenden Buch dargestellten nordindischen Tänze – Kathak und Manipuri – verwenden die klar definierten und stilisierten Mudras der Abhinaya Darpana nur äußerst sparsam. Statt dessen ist die Gestensprache dieser beiden sonst so verschiedenen Tanzstile suggestiv, aufgelöst und fließend. Ein Grund hierfür liegt in dem gemeinsamen religiösen Erbe beider Tänze: dem im 15. und 16. Jahrhundert ganz Nordindien überflutenden Vaishnavismus. Die Anhänger des Vaishnavismus gaben sich ganz der transformierenden Kraft der bedingungslosen Liebe hin und fanden in der Anbetung des göttlichen Liebespaares Radha und Krishna ihre höchste Erfüllung. Diese von Bhakti, von grenzenloser Hingabe und Auflösung geprägte Weltsicht findet ihre Entsprechung in den Bewegungen des Tanzes: in den fortlaufenden und der Weite des Raumes zustrebenden weichen Linien der Hände und Arme im Kathak und in den ungebrochenen Rundbewegungen des Manipuri (zum Manipuri-Tanz siehe Kapitel 1). Somit unterscheidet sich die Anwendung der Mudras in den nordindischen Tänzen von den stark stilisierten und klar differenzierten symbolischen Hand- (und Körper-)Stellungen südindischer Tänze.

Trotz dieser tanztechnischen Einschränkung ist das Erlernen der Mudras für eine Kathaktänzerin bereichernd (siehe Kapitel 5, Seite 112 - 114). Deren fließende Nachahmung verleiht den Händen Geschmeidigkeit und trainiert die Beweglichkeit der Handgelenke, deren Winkel dem gekonnten Spiel der Hände und den Linien der Arme erst ihre vollendete Anmut verleihen. Auch erleichtert die Stilisierung der Zeichensprache der Mudras die Kommunikation unter Tänzern und liefert ein grundlegendes Vokabular zur choreographischen Gestaltung.

Als Vorbereitung zu den Hastas, den mit einer Hand angedeuteten Asamyukta Hastas und den durch die kombinierte Handhaltung beider Hände geformten Samyukta Hastas, sollten anfangs die Handgelenke trainiert werden: die durchgestreckten Arme werden, mit den Fäusten in Brusthöhe, vor dem Körper gehalten und immer wieder in aufeinanderfolgenden horizontal liegenden Achten gedreht. Wird diese vorbereitende Übung regelmäßig ausgeführt, dann lernt man die Hand steil nach oben abzuknicken. Eine übertriebene Ausführung dieser Übung kann das Gelenk allerdings zu stark belasten.

Das Gestenalphabet:
Asamyukta und Samyukta Hastas

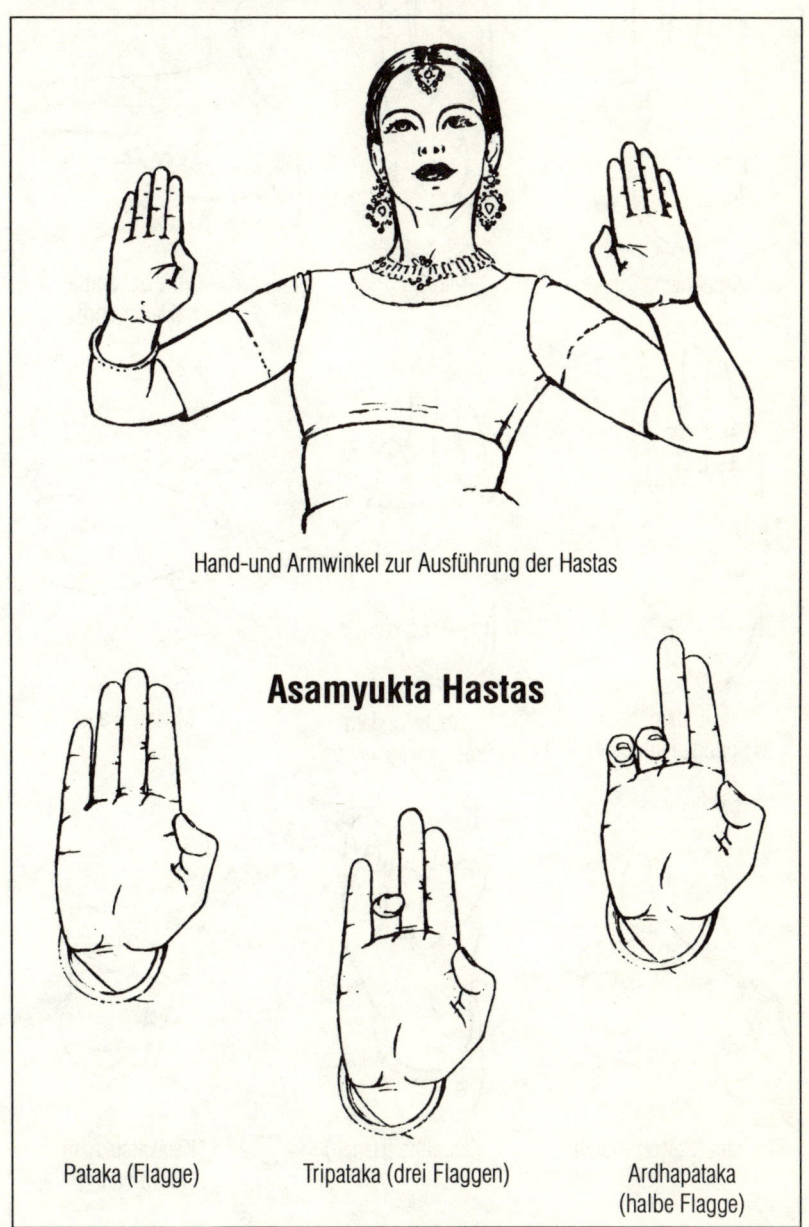

Hand-und Armwinkel zur Ausführung der Hastas

Asamyukta Hastas

Pataka (Flagge)   Tripataka (drei Flaggen)   Ardhapataka
(halbe Flagge)

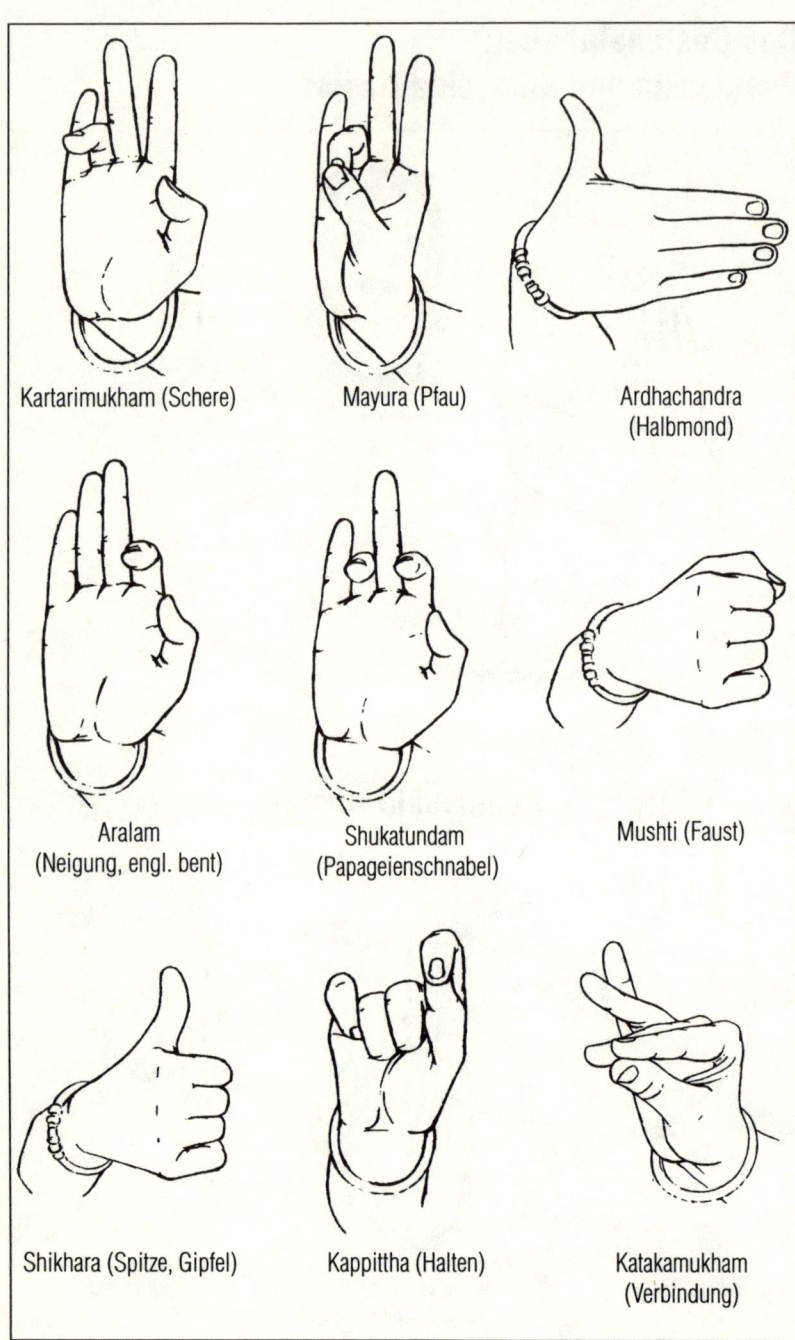

Kartarimukham (Schere)

Mayura (Pfau)

Ardhachandra
(Halbmond)

Aralam
(Neigung, engl. bent)

Shukatundam
(Papageienschnabel)

Mushti (Faust)

Shikhara (Spitze, Gipfel)

Kappittha (Halten)

Katakamukham
(Verbindung)

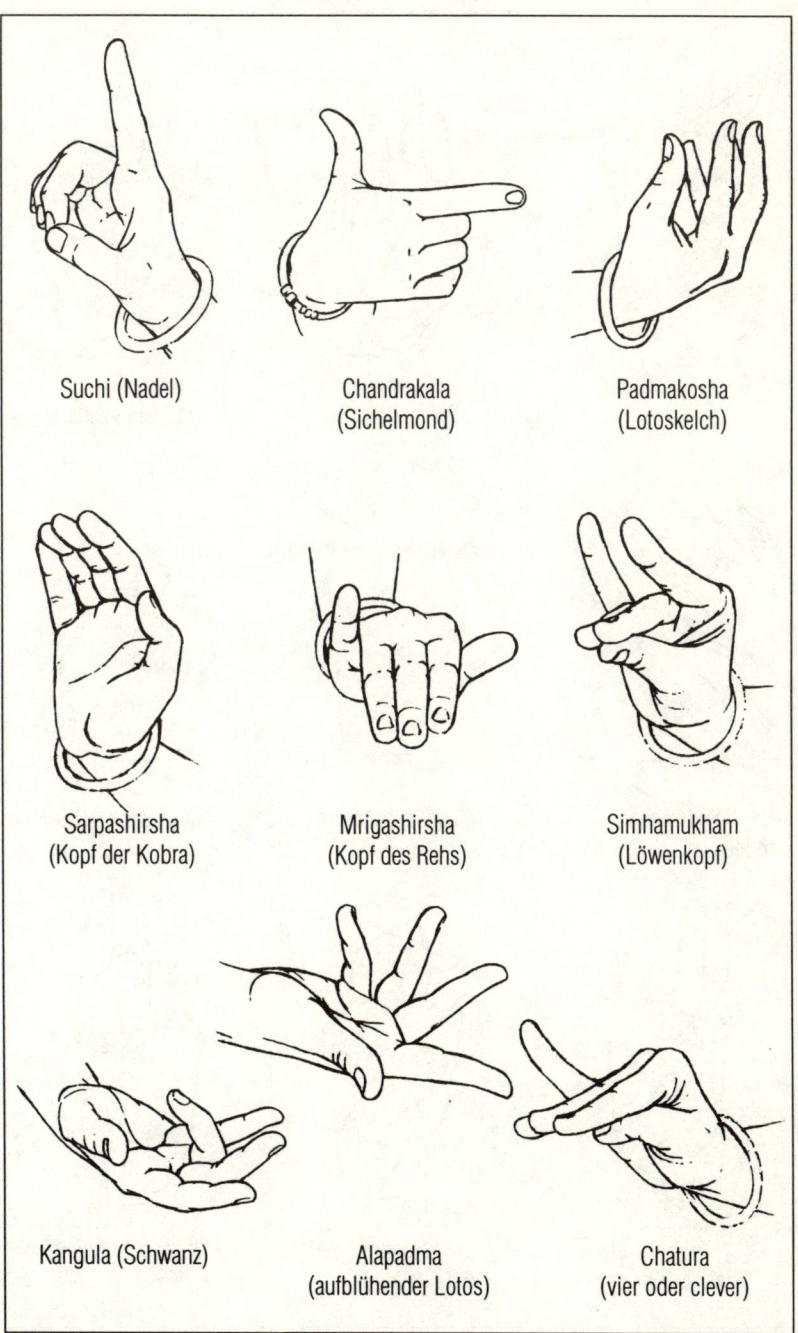

Suchi (Nadel)

Chandrakala
(Sichelmond)

Padmakosha
(Lotoskelch)

Sarpashirsha
(Kopf der Kobra)

Mrigashirsha
(Kopf des Rehs)

Simhamukham
(Löwenkopf)

Kangula (Schwanz)

Alapadma
(aufblühender Lotos)

Chatura
(vier oder clever)

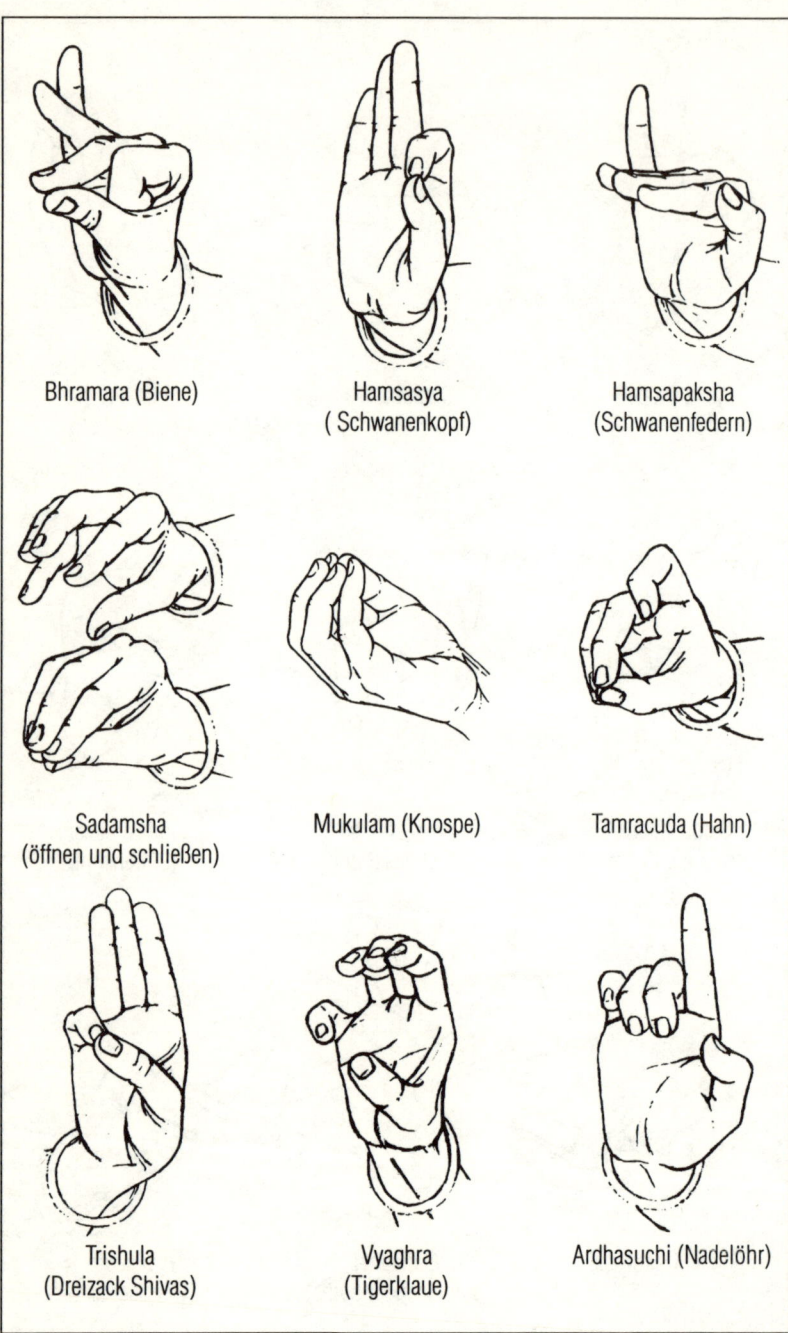

Bhramara (Biene)

Hamsasya
(Schwanenkopf)

Hamsapaksha
(Schwanenfedern)

Sadamsha
(öffnen und schließen)

Mukulam (Knospe)

Tamracuda (Hahn)

Trishula
(Dreizack Shivas)

Vyaghra
(Tigerklaue)

Ardhasuchi (Nadelöhr)

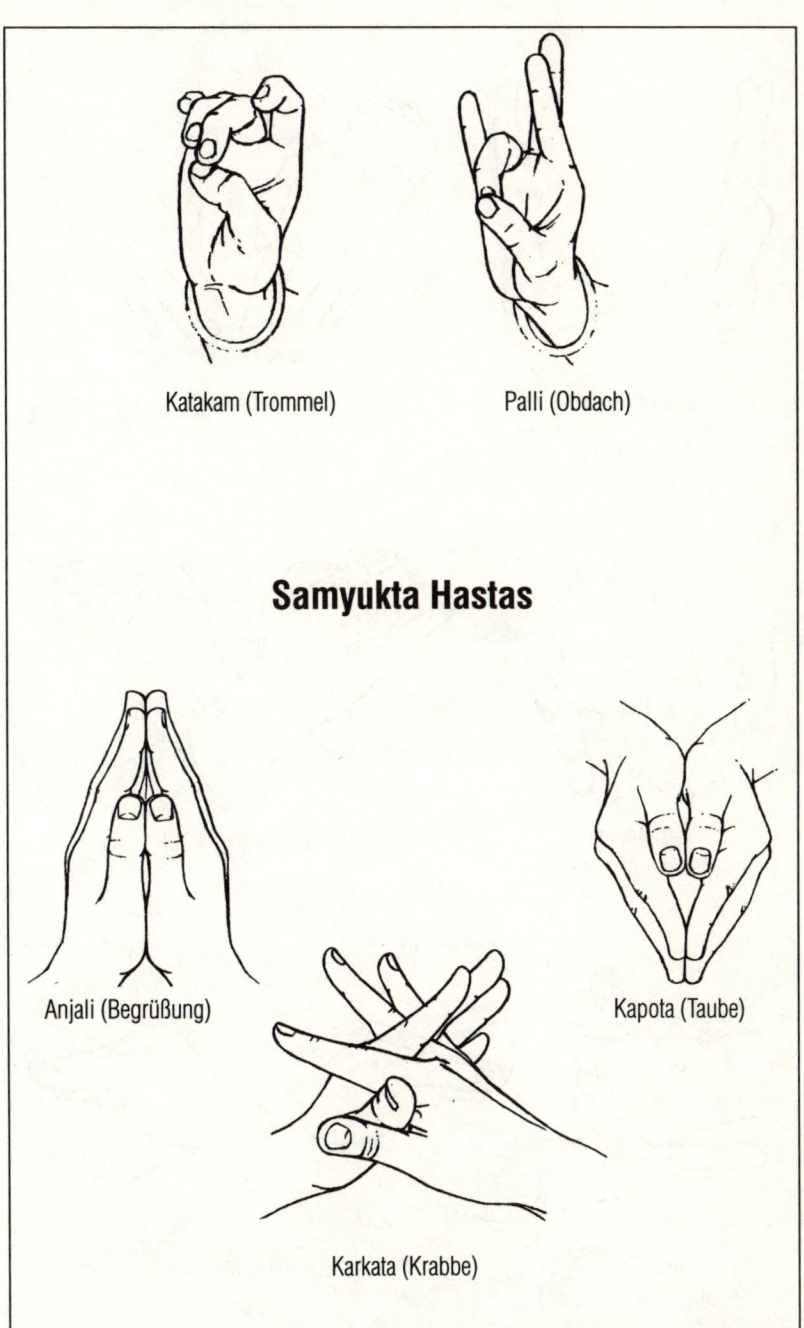

Katakam (Trommel)

Palli (Obdach)

Samyukta Hastas

Anjali (Begrüßung)

Kapota (Taube)

Karkata (Krabbe)

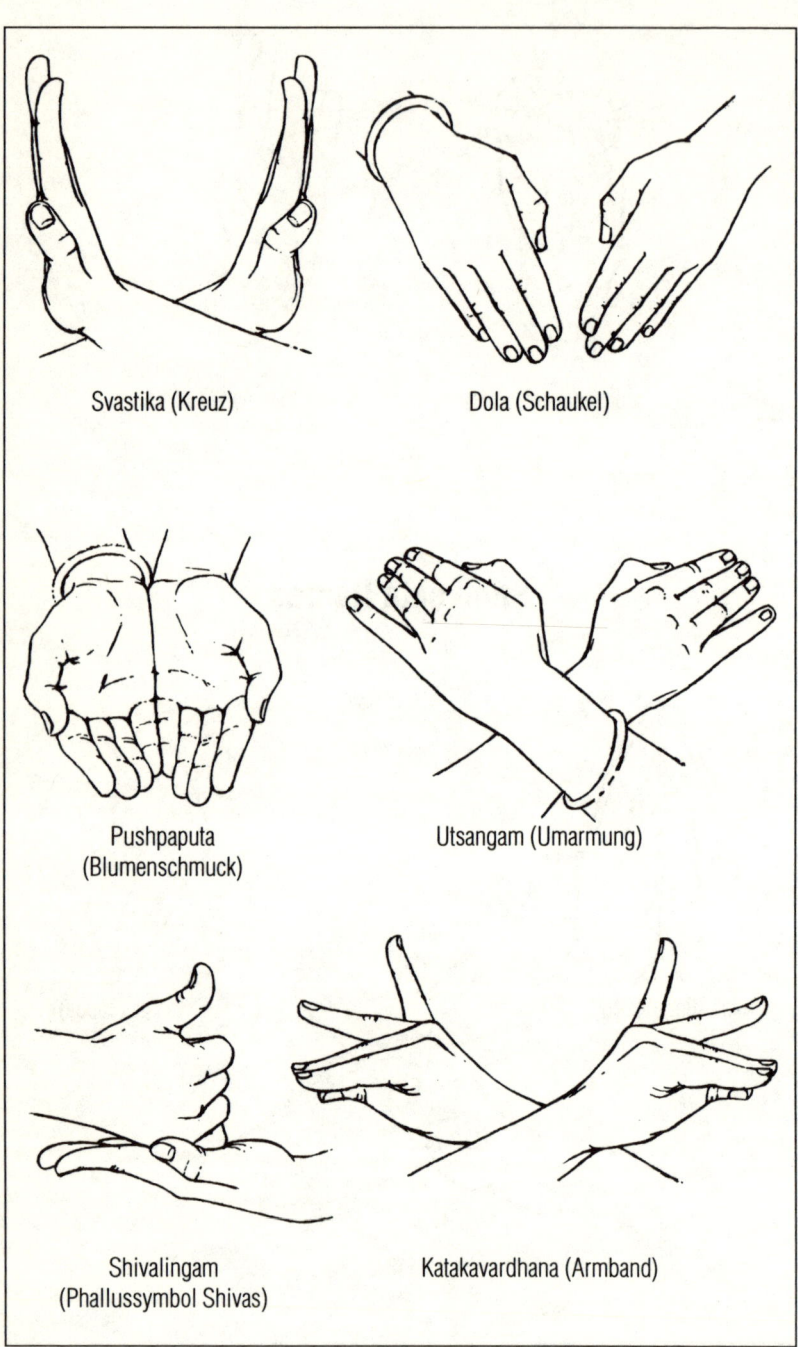

Svastika (Kreuz)

Dola (Schaukel)

Pushpaputa
(Blumenschmuck)

Utsangam (Umarmung)

Shivalingam
(Phallussymbol Shivas)

Katakavardhana (Armband)

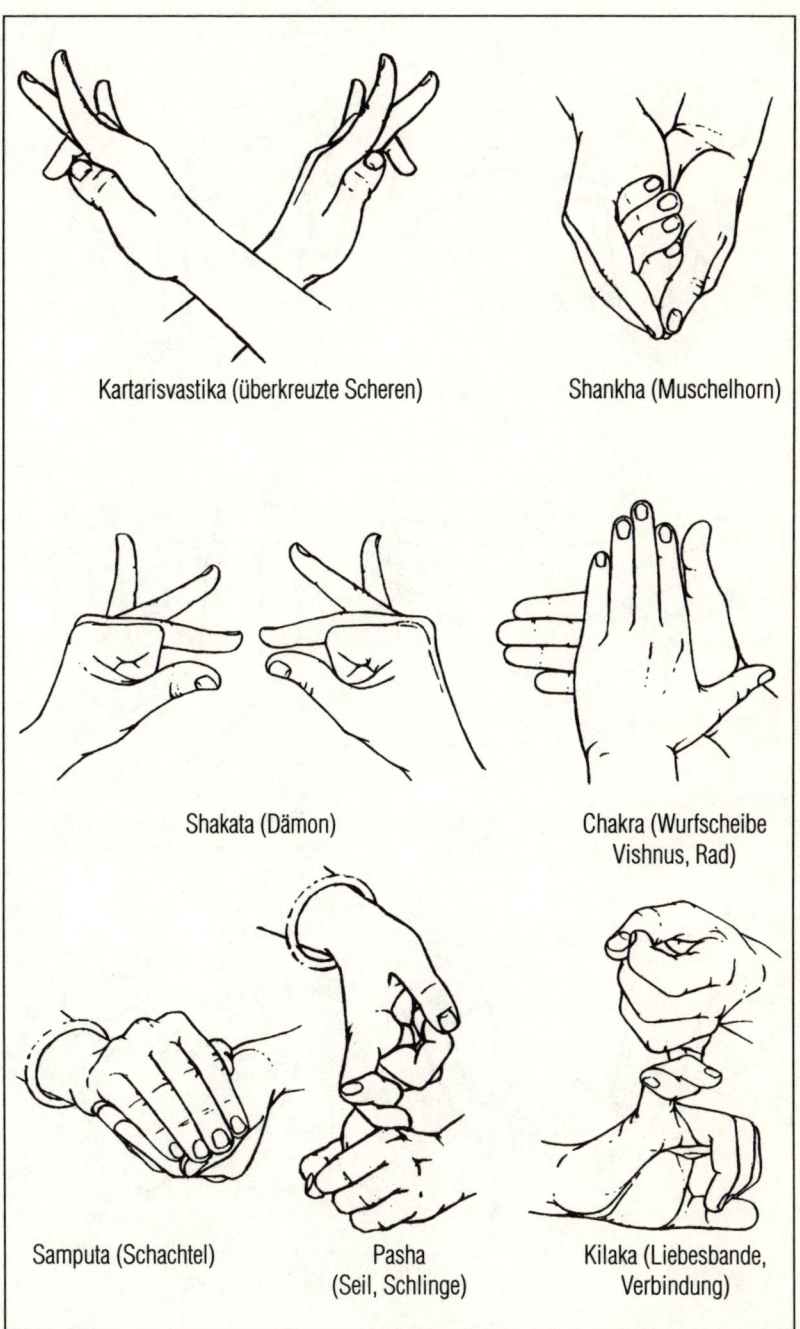

Kartarisvastika (überkreuzte Scheren)

Shankha (Muschelhorn)

Shakata (Dämon)

Chakra (Wurfscheibe Vishnus, Rad)

Samputa (Schachtel)

Pasha (Seil, Schlinge)

Kilaka (Liebesbande, Verbindung)

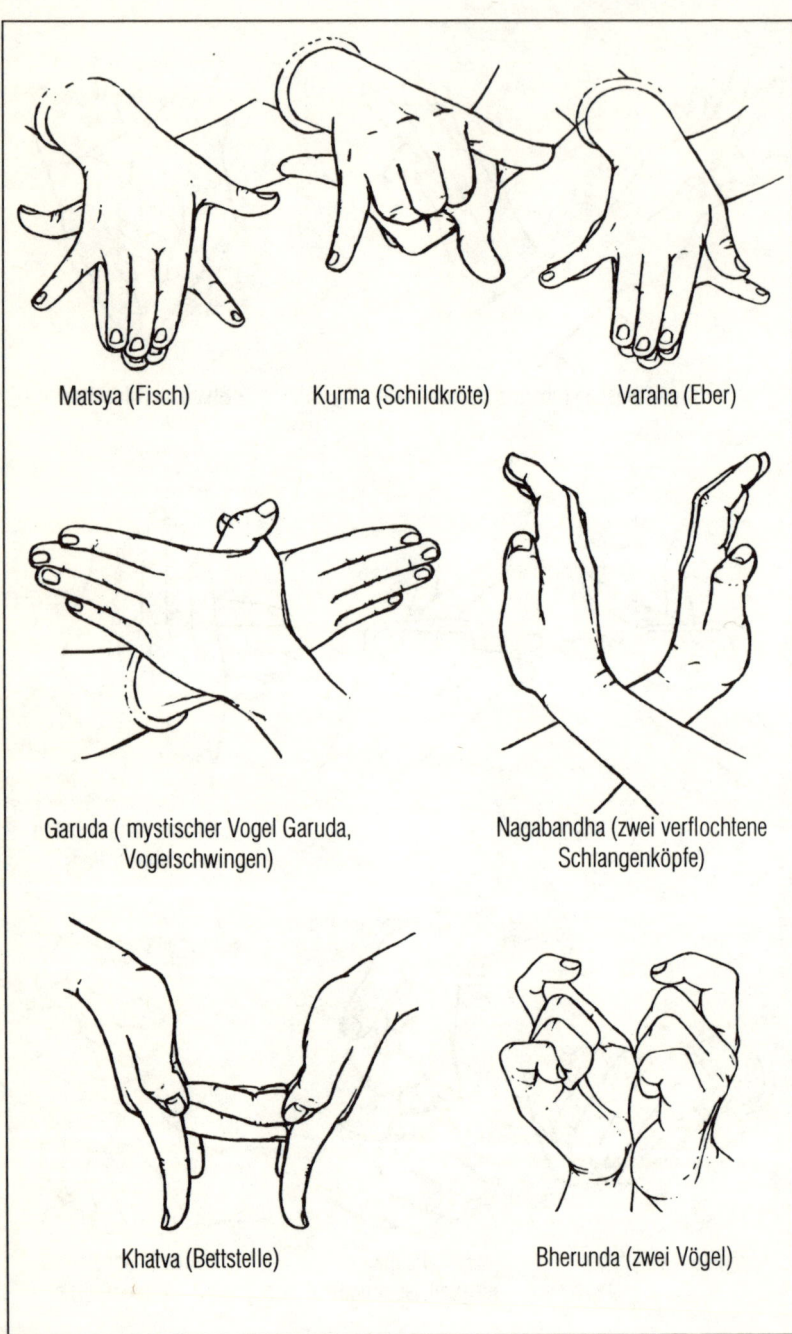

Matsya (Fisch) Kurma (Schildkröte) Varaha (Eber)

Garuda (mystischer Vogel Garuda,
Vogelschwingen)

Nagabandha (zwei verflochtene
Schlangenköpfe)

Khatva (Bettstelle) Bherunda (zwei Vögel)

Erste grundlegende Arm- und Handbewegung

Position 1

Position 2

Position 3

Position 4

Fließende Kathakpose

Zweite grundlegende Arm- und Handhaltung

Position 1

Position 2

Position 3

Position 4

Die Füße erden

Kapitel 2

Gebet an den elefantenköpfigen Gott

Schellen rasseln, Füße stampfen in hitzigem Rhythmus. Auf der belebten Straße weist ein Schild mit der Aufschrift „Nrityabharati" auf die Tanzschule für Kathak hin. Ich betrete den Treppenflur durch einen schmalen Seiteneingang. Die Schellen flüstern mal leise, mal schwellen sie wieder zu einem wahrhaften Tosen an. Ihr Rasseln klingt wie eine fröhliche Melodie über dem Aufschlag der stampfenden Füße.

Das erste Stockwerk des Gebäudes ist in zwei Bereiche aufgeteilt: neben der Tanzschule gibt es noch eine Arztpraxis. Die sperrige Eingangstür zur Nrityabharati ist leicht angelehnt, und ich betrete einen dunklen, engen Flur, der fast seiner ganzen Länge nach von einem Bücherschrank ausgefüllt wird. Nach indischem Brauch ziehe ich die Schuhe aus.

In der Nrityabharati übt nur eine einzige Tänzerin. Sie zieht meinen Blick unwillkürlich auf das Spiel ihrer Füße. In blitzschneller Abfolge schlagen diese immer wieder flach auf den Boden auf und erzeugen beim Aufschlag einen ungewöhnlich hellen und deutlich hörbaren Laut. Er erinnert mich an den Ton ineinander klatschender Hände. Um ihre zierlichen Fußgelenke trägt sie eine breite Schnur von Messingschellen, deren Rasseln den präzisen Taktschlag der Füße untermalt. Und was für ein Klangvolumen sie durch den Tanz ihrer Füße erzeugt! Der Boden um sie herum vibriert, und die Wände hallen von ihren Rhythmen wieder. Als ich unten von der Straße lauschte, hatte ich angenommen, eine ganze Klasse tanzte dort oben.

Die vielfältigen Rhythmen gehen in meinen Pulsschlag über und ihre kraftvolle Spontaneität entfacht in mir wieder den brennenden Wunsch zu tanzen. Endlich erlebe ich diese eigenartige, mitreißende Faszination beim Anblick eines Tanzes wieder. Sie verschafft mir die innere Gewißheit, daß auch ich mich zum Tanzen berufen fühle.

Rhythmus ist ein universales, dem Menschen angeborenes Ausdrucksmittel – eine Sprache, die fundamentaler als Worte ist. Vielleicht nimmt Rhythmus deshalb in der Lehre des Hinduismus solch eine zentrale Bedeutung ein. Er gilt seinem Wesen nach als formgebende und lebensspendende Kraft, die das gesamte Universum durchdringt. Ihr Urgrund besteht aus feinen Schwingungen und Vibrationen. Diese wiederum bilden die Basis für Laut und Klang, aus denen heraus sich Sprache und Musik entwickelt haben. In seiner umfassendsten Auslegung wird Rhythmus direkt in Zusammenhang mit der Entstehungsgeschichte der Welt gebracht.

Die Legende erzählt von Shiva in seiner Erscheinung als Nataraja, als kosmischem Tänzer. Der kraftvolle, zeitweilig unbändige Tanz des Gottes ist zugleich auch Tanz der Elemente, ein kosmisches Drama voller Dynamik und Bewegtheit. Das Repertoire seiner Schritte ist unerschöpflich. Das ungeheure Ausmaß seiner Bewegung umschreibt den gesamten Lebensraum der Menschheit. Doch kann Shivas „Tanz der Entstehung" erst dann einsetzen, wenn der vielarmige Gott den Trommelschlag von seiner kleinen Handtrommel, Damaru, ertönen läßt, der durch seinen pulsierenden Takt das Herz der Welt zum Schlagen bringt. Dieser Ur-Rhythmus löst den eigentlichen Impuls zur Bewegung aus. Nun beginnt die grobe Materie sich zu Shivas Trommelschlag und rhythmischem Tanz zu formen, die Erde nimmt allmählich Gestalt an.

Rhythmus als urtümlicher und zeugender Impuls ist erdverbunden. Er wurzelt tief im Becken, der Mitte des Menschen, und bestimmt die Art der Auseinandersetzung und Berührung der Füße mit dem Boden. Allein schon wie Füße stehen, gehen und sich im Tanz gebaren, erzählt eine spannende Geschichte. Eine Geschichte über die Welt, in die sie hineingeboren wurden, und über die Leiber, die sie tragen und zu denen sie gehören. Hin und wieder geben ihre Schritte auch etwas von den geheimen Ängsten und Sehnsüchten der Menschen kund. Füße! In rosa Spitzenschuhen oder so nackt und staubig wie die Erde selbst. Über den Boden gleitend und schwebend oder ihn fest bestampfend. Der Schwerkraft folgend oder ihr entgegenstrebend!

Im alten Indien der Veden, einem Zeitalter, das 4 000 Jahre zurückliegt, wurde die Erde selbst noch als Göttin angesehen. Sie trug den Namen Prthivi. In den vedischen Hymnen wurde Prthivi fast immer in Verbindung mit Dyaus erwähnt, einer männlichen, mit dem Himmel verbundenen Gottheit. Fruchtbar, wohlwollend und unerschöpflich war Prthivi das Fundament allen Lebens. Erde und Göttin zugleich, war sie Mutter aller Lebewesen. Die Bürde der Welt, die sie von eigener Leibeskraft nährte, ruhte auf ihrem geduldigen Rücken.

Im späteren Hinduismus löste sich die Göttin Erde von der sie dominierenden, männlichen Gottheit. Die mit dem Zeugungsakt einhergehende Kraft des Weiblichen verselbständigte sich, und es entstanden eine Reihe furchterregender Muttergottheiten wie Durga oder Kali, die mit dem Schlachtfeld und Blutopfern assoziiert wurden. Ihr Leib trug zwar immer noch den Keim des neuen Lebens, doch konnte die Göttin jetzt auch zur unbändigen, sich alles einverleibenden Zerstörerin werden. Fruchtbarkeit, Saat und gute Ernte waren einerseits von ihrer Gunst abhängig, und sie verteidigte das Gleichgewicht der Erde und des Kosmos gegen schreckliche Dämonen. Grausam, übermächtig, zornig und schön, verlangte sie andererseits aber von ihren Gläubigen nach Beschwörung und blutigen Opfern. Diese wurden in rituellen Ernte- und Fruchtbarkeitstänzen in langsam anschwellender Ekstase von Priestern und der Dorfgemeinschaft ausgeführt. Diese Volks- und Stammestänze bedienten sich der monotonen, beschwörerischen Rhythmen aneinandergereihter Zwei- und Dreitakte.

Die klassische indische Tanzkunst, die das reiche Erbe ihrer Volkstänze zum Ursprung hat, wahrte diesen engen Kontakt zum Boden. Doch jetzt ist die Erde nicht mehr dumpf und bedrohlich. Sie ist zur

Mutter des kreativen Prinzips und zum Nährboden verschiedener elaborierter Ausdrucksweisen geworden. Der Impuls kommt nicht mehr vorwiegend von den Füßen und dem Becken, sondern setzt eine äußerst feine Koordination der verschiedenen Körperteile voraus. Die eingebungsvollen Zwei-und Dreitakte der Tänze der Primitiven verwandeln sich im klassischen Tanz in eine bewußte, künstlerische Präsentation von Rhythmus in all seiner Komplexität. Doch trotz dieser Intellektualisierung behält auch der klassische Tanz die Erdgebundenheit als eines seiner wesentlichsten Merkmale bei.

Das Verhältnis zur Erde im indischen Tanz unterscheidet sich somit wesentlich von dem der Schwerkraft entgegenstrebenden Spitzentanz des europäischen Balletts. Die Ballerina des klassischen Tanzes gleitet auf Zehenspitzen über den Boden. Vom Zuschauerraum wirkt sie mehr wie ein ätherisches, blutloses Wesen, eine bezaubernde Fee, eine verführerische Nymphe. Ihre künstliche Balance, die luftigen, schwebenden Sprünge und die aufwärtsstrebenden Armbewegungen scheinen sie über die Erde und über ihren eigenen Leib erheben zu wollen. Ihr Tanz verkörpert das Ideal der Beherrschung, ja letztendlich der Überwindung von Natur. Einer Natur, die als ausbeutbar und dem Nutzen der Menschen untertänig angesehen wurde. Das mystisch naturalistische Weltbild des Ostens und die westliche, von Analyse und Nutzbarkeit geprägte Weltauffassung verlangen förmlich nach einem anderen Kontakt der Füße mit dem Boden, auf dem sie stehen und den sie formen.

Jetzt beendet die Tänzerin ihren Tanz mit einer abrupten, besonders deutlich akzentuierten Bewegung, die den Rhythmen ein plötzliches Ende setzt. Schweißgebadet und noch außer Atem begrüßt sie mich. Ich bringe meine Bewunderung für das Spiel ihrer Füße zum Ausdruck. Sie wehrt lachend ab. Sie sei eine Anfängerin, erklärt sie mir und stellt sich mit dem Namen Roshan vor. Ich erkundige mich nach einem Treffen mit Rohini Bhate, und Roshan versichert mir, Frau Bhate sei am folgenden Tag in der Nrityabharati anwesend.

Ich statte der Nrityabharati wieder einen Besuch ab und werde diesmal in einen vom Flur abzweigenden kleineren Nebenraum eingelassen. Nach einer kurzen Wartezeit betritt eine auffallend große und schlanke Frau den Raum. Ich stehe auf und lege meine Hände vor der Brust zum Namaskar – dem traditionellen indischen Gruß – zusammen, den sie freundlich erwidert. Frau Bhate setzt sich und weist mir einen Platz auf einem der niedrigen Hocker zu.

Sie trägt ihr schwarzes Haar zu einem tiefen Nackenknoten aufgerollt, und ich atme den schweren Duft von Sandelholz und Jasminblüten ein. Mir fallen ihre Hände auf, wie sie mit graziös anmutenden, langen Fingern und ungewöhnlich schmalen, von silbernen Armreifen verzierten Handgelenken auf dem Schoß ihres dunkelblauen Seidensaris liegen. Mir ist, als ob diese ausdrucksvollen Hände die Fähigkeit besitzen, mir zuzuhören. Obwohl sie energisch und jugendlich wirkt, zeugen tiefe Falten um Augen und Stirn von reiferem Alter. Ihre Person, die etwas von der androgynen Ausstrahlung großer Tänzerpersönlichkeiten besitzt, umgibt Würde. Sie erzählt mir, sie habe Isadora Duncans Buch „My dance, my life" vom englischen Original ins Marathi, der regionalen Sprache Maharashtras, übersetzt und 1979 die tänzerische Gestaltung des Sanskrit Dramas „Abhijnana shakuntalam" am Leipziger Stadttheater übernommen. Die Nrityabharati sei auf ihre Initiative im Jahre 1947 in ihrer Heimatstadt Poona gegründet worden. Die Schule, bemerkt sie mit einem Anflug von Stolz, erfreue sich seitdem zunehmender Beliebtheit, aber sie sei auch selbst noch als Tänzerin und Choreographin aktiv. Ihre unterrichtende Tätigkeit beschränke sie auf die Ausbildung talentierter Schülerinnen, doch würden die meisten Bewerberinnen bei ihrem Eintritt in die Hochschule oder spätestens mit ihrer Heirat die Ausbildung wieder abbrechen. Ein dreijähriges Grundstudium unter ihrer Kollegin diene den Anfängern als Einführung, und sie leite das daran anschließende Aufbaustudium bis zur Bühnenreife.

Die allgemeine Klasse dient ihr somit als Auslese. Und mit der Entschuldigung, daß sie bis zum Ende des Sommers keine Zeit habe, wurde auch ich in diese Klasse verwiesen.

Beim Betreten der Nrityabharati üben sich Dutzende junger Inderinnen beflissen im Kathaktanz. In drei Gruppen werden sie von drei Lehrerinnen parallel unterrichtet. Auf der einen Seite des Raumes sitzt ein Trommler. Er spielt die Begleitung zum Kathak auf einer klangvollen Doppeltrommel, der Tabla. Einige Mädchen stampfen im rhythmischen Einklang mit seinen Trommelschlägen auf. Eine andere Gruppe führt geometrisch anmutende Bewegungsfolgen aus, die hier und da von schnellen Drehungen unterbrochen werden, eine dritte Gruppe übt sich im Gestenalphabet der Hände. Die Anweisungen der Lehrerinnen und die durch den Raum hallenden verschiedenen Rhythmen vermischen sich mit den Geräuschen der Straße; dem Dröhnen an- und abfahrender Busse von dem gegenüberliegen Busbahnhof und den Rufen einer Menge, die auf Einlaß in das angrenzende Kino wartet. Sämtliche Fenster der Tanzschule stehen weit offen, keiner scheint von den mannigfaltigen Geräuschen abgelenkt.

Ich werde einer Lehrerin namens Saradini Ghole vorgestellt, Frau Bhates engster Mitarbeiterin und Leiterin der dreijährigen Grundausbildung. Saradini führt mich zu einer mit Kissen ausgestatteten, erhöhten Sitzfläche, dem Platz des Gurus und damit auch dem Mittelpunkt des Raumes. Darüber hängt ein stark vergrößertes Portrait Bindadin Maharajs, einem der bedeutendsten Vertreter der männlichen Kathak-Dynastien des neunzehnten Jahrhunderts. Bindadin Maharaj war ein Kathak am Hofe des Muslimfürsten Wajid Ali Shah in Lucknow. Als begabter Dichter, Tänzer und Choreograph bereicherte er den Tanz um etliche Kompositionen, deren Lyrik dem Gott Krishna gewidmet war. Mit seinem kräftigen Gesicht, den dicken Backen und dem Doppelkinn wirkt er nicht wie ein legendärer Tänzer, der sich mit unvergleichlicher Anmut bewegen konnte.

Mein Unterricht beginnt. Ich verneige mich flüchtig vor Saradini, die meinen Gruß unsicher erwidert. Sie zeigt mir, ihren bodenlangen Sari mit den Fingerspitzen anhebend, das für den Tanz so charakteristische flache Aufschlagen der Füße. Diese Grundstellung ist mit der ersten Position des Balletts vergleichbar, nur daß die Füße im Kathak nicht ganz so weit auswärts gedreht werden. Saradinis Fußsohlen entlocken dem Boden einen reinen, hellen Klang. Abwechselnd mal mit dem rechten und mal mit dem linken Fuß schlägt sie sechzehnmal auf. Ihre zierlichen Fußsohlen schweben dabei nur für den Bruchteil einer Sekunde über dem Boden. Ich erinnere mich an Masterjis flaches Aufsetzen der Fußsohle bei der Imitation des Elefantengangs. Meinen Blick auf den Boden geheftet, beginne ich meine

Füße im Takt zu bewegen. Entsetzt lausche ich ihrem dumpfen, kaum hörbaren Aufprall. So hart und scheinbar flach ich auch auf dem Steinboden aufkomme, er bleibt stumm. Rings um mich herum donnern klatschende Füße unentwegt auf den bebenden Boden auf, und mir fällt es zunehmend schwerer, mich auf das Einhalten des sechzehnteiligen Grundmetrums zu konzentrieren. Am Ende des Unterrichts bin ich schließlich wie benommen. Obwohl ich nur kurz in der Schule gewesen bin, schmerzt mein Kopf von den vielen Geräuschen.

Ich verbringe das Wochenende damit, meine Fußglocken fertigzustellen. Sie werden Ghungrus genannt und hängen in langen Strängen von den Wänden der Nrityabharati. Eine Tänzerin trägt ein Band von einhundertfünfzig oder mehr solcher Schellen um ihr Fußgelenk gewunden. Von nun an würde auch ich mit einem Gewicht von zweieinhalb Kilo an den Beinen tanzen, dessen Zugkraft mich an die Erde fesseln soll.

Zuerst besorge ich mir Baumwollkordel und ziehe die Glocken auf die lange Schnur auf. Anschließend wird jede einzelne Glocke zwischen zwei ineinandergefügten Schlaufen befestigt. Um eine der möglichst engen Schlaufen durch die nächstfolgende hindurchzustecken, bedarf es des Fingerspitzengefühls. Als die Ghungrus fertiggestellt sind, färbe ich die Quasten mit Henna ein und bewahre die Glocken in einem Beutel auf.

Als ich wieder zu den eisenvergitterten Fenstern der Tanzschule aufblicke, ist dort alles merkwürdig still. Die von Hitze und Feuchtigkeit zerschlissenen Holzverschläge stehen leicht angelehnt. Heute mischt sich kein fröhlicher Glockenklang unter die Geräuschkulisse der Straße und schwebt dort wie eine von der Erde abgehobene, sorglose Melodie. Erst als ich die Treppe zur Tanzschule hinaufsteige, tönt mir leiser Gesang entgegen. Ich bleibe an der Tür zum Klassenzimmer stehen.

„Oh Ganesha, du allmächtiger Gott", singen die Inderinnen. „Vor dir verbeugt sich das gesamte Universum, der du Himmel und Erde trägst, Furcht, Gefahr und Unwissenheit zerstreust und allen Lebewesen Glück bringst."

Alle sind stehend ins Gebet an den elefantenköpfigen Gott vertieft. Zwischen andächtig zusammengelegten Handflächen offenbaren sie dem himmlischen Wesen ihre Wünsche. Die Jüngeren zappeln ungeduldig und treten von einem Bein aufs andere. Ganesha, der angerufene Gott, ist auch anwesend. Er thront, in Messing gegossen, in seiner robusten Elefantengestalt auf Rohinis Schreibtisch, direkt neben dem altmodischen, schwarzen Telefon. Heute ist er mit einer Blumengirlande geschmückt, und zu seinen Füßen, an den schweren Metallsockel angeschmiegt, sitzt sein ungleicher Gefährte, eine kleine Ratte, die aufmerksam zu ihrem Herren aufblickt.

Die Geschichte der Herkunft Ganeshas ist eine jener phantastischen Erzählungen, die Ereignissen keine Grenzen setzt. Parvati, die Gemahlin Shivas, begehrte einstmals einen Sohn, der ihre Gemächer vor unerwünschten Besuchern schützen sollte. Aus diesem Wunsch heraus erschuf sie ein Kind von ihrem eigenen Körper und gab ihm den Namen Ganesha. Ganesha hielt fortan Wache vor ihrem Palast und hatte die strikte Anweisung, niemanden in Parvatis Privatgemächer einzulassen. Mutig und unerschrocken verweigerte das Kind sogar Shiva, dem Gemahl Parvatis, den Zutritt. Das erzürnte den Gott und er schlug Ganesha den Kopf ab. Parvati war wutentbrannt und forderte Shiva auf, das Kind augenblicklich wieder zum Leben zu erwecken. „Geh hinaus und nimm den Kopf des ersten Lebewesens das dir dort begegnet", befahl sie Shiva. Es war ein Elefant, und fortan trägt der Sohn Shivas und Parvatis einen Elefantenkopf.

Plötzlich kommt Bewegung in die Körper, die Gesichter hellen sich auf und die Tänzerinnen heben ihre Arme angewinkelt zur Brust. Saradini klatscht in die Hände, und augenblicklich setzt das Trommelspiel ein. Rhythmische Tanzsilben mischen sich mit Worten zu Ehren Ganeshas. Das älteste Gebet des Kathaktanzes wird wieder lebendig. „Gan gan ganapati, gaja mukha mangala", rezitiert Saradini den Anfang des uralten Verses zur Huldigung Ganeshas. „Gan gan ganapati" ist das Mantra Ganeshas und „gaja mukha mangala" heißt „der, der einen glücksbringenden Elefantenkopf besitzt". Seit jeher ist es Brauch, den gutmütigen und wohlbeleibten Ganesha zu Beginn religiöser Zeremonien und am Anfang eines Tanzes anzurufen.

Schließlich ist er auch Herr über die Trommel, und seine Gegenwart räumt alle Hindernisse aus dem Weg.

Die Finger der Tänzerinnen rollen sich gekonnt zu geschlossenen Fäusten und formen die Enden schwingender Rüssel. Leicht in den Hüften wiegend, machen sie einige Schritte vor und zurück. Der aufgestellte Zeigefinger verwandelt sich geschwind zu einem langen Stoßzahn. Einem riesig gezackten Blatt gleich, zeichnen Hände jetzt seitlich des Kopfes die Umrisse großer, gewölbter Elefantenohren, fahren danach wie scharfe Schwertklingen durch die Luft und vernichten mit dieser einzigen Geste jegliches Übel. Jetzt verharren die Tänzerinnen mit furchterregenden, weit aufgerissenen Augen. Doch dann, zum Abschluß des Gebets, heben alle ihre rechte Hand zum Segen. Sie sind selbst zum Gott geworden, dessen Erscheinung sie gerade noch so ausführlich beschrieben hatten und schauen mit mildem Blick auf die Menschenkinder herab.

Alle, Lehrer wie Schüler, sind heute ganz in makelloses Weiß gekleidet. Die Tänzerinnen tragen weiße Kurtas, eng geschnittene, knielange und an den Seitennähten hoch aufgeschlitzte Kleider. Unter ihren Säumen schauen weite Pluderhosen hervor. Das strahlende Weiß, das sich im Kontrast zu den dunklen Haaren und Augen besonders abhebt, der schwere, süßliche Duft von Räucherstäbchen und Jasmin und die anmutigen Körper verleihen dem Raum in seiner Schlichtheit etwas Feierliches. Saradini, die einen am unteren Rand mit Lochmustern durchbrochenen Sari trägt und einen Kranz frischer, weißer Jasminblüten um ihren Haarknoten gebunden hat, winkt mich zu sich. „Rohini hat die Dienstage der Andacht ihrer Lieblingsgottheit Ganesha gewidmet", flüstert sie mir zu, „er ist das Wahrzeichen unserer Schule." Auch auf dem Plastikumschlag meines Schulheftes ist ein kleiner, auf einem Bein tanzender Ganesha abgebildet. Sie bittet mich in den Nebenraum, wo Shivaji Prasad zubereitet hat. Prasad, eine geweihte Süßigkeit und Opfergabe, wird bei religiösen Zeremonien und festlichen Anlässen gereicht. In Maharashtra ist Prasad meistens ein Stück „Pedha", eine aus Milch und Zucker zubereitete Kugel. Ich hole mir dazu einen „Chai", süßen Milchtee, und setze mich.

Die einzigen Farbflecke im Raum sind die Bindis, leuchtend rote Punkte, die die Stirn der älteren Mädchen schmücken. Bindi ist der Name des feinen Puderstaubs, in den die Spitze des Zeigefingers eingetaucht wird, um damit den dekorativen Punkt auf die Stirn zu tupfen. Ursprünglich wurde Bindi aus dem Pulver von Gelbwurz und einer alkalischen Lauge hergestellt. Als Zeichen der engen Schwesternschaft der Frau mit der Erde wird heute noch in ländlichen Gegenden Gujarats deren rötlicher Schlamm zum Auftragen des Stirnornaments verwendet. Doch gibt es Bindi schon in allen Farben und Mustern als wiederverwendbare Plastikaufkleber zu kaufen. Sie kleben manchmal an den Spiegeln der Nrityabharati.

Ein Vorläufer für die Entstehung dieses dekorativen Stirnornaments findet sich in der tragischen Geschichte Rajasthans. Es war zur Zeit der erbitterten Schlachten der Rajput-Fürsten mit den ins Land eindringenden, mongolischen Eroberern. Die Rajputs galten einst als stolze Könige der Wüste. Ihr Geschlecht gehört zu einer alten, gefürchteten Kriegerkaste, den Kshatriyas, die ihre Herkunft der Sonne zuschreiben. Verließen die Rajput-Fürsten ihre roten Sandsteinpaläste, um in die Schlacht zu ziehen, schnitten sie ihren Frauen und Konkubinen die Kuppe des Zeigefingers ab und drückten ihnen den blutenden Finger gegen die Stirn, ein Zeichen, daß es jetzt um Leben oder Tod ging. Verloren sie den Kampf, wurde eine Flagge als vorher verabredetes Zeichen gehißt. Die zurückgebliebenen Frauen begingen dann ein Selbstmordritual namens Jauhar und verbrannten sich bei lebendigem Leib, um nicht den Harems der siegreichen Eroberer anheimzufallen.

Während ich immer noch wartend dasitze, beobachte ich die Inderinnen beim Tanzen. Sie demonstrieren ein erstaunliches Koordinationsvermögen. Während der schnellen Drehungen wickeln sich ihre langen Zöpfe wie Kordeln um ihren Hals. Die Haarpracht löst sich erst, wenn die Drehung prompt auf den ersten Taktschlag zu einem Ende kommt. Die Jüngsten unter ihnen tragen nur ein Dutzend Glocken um ihr Fußgelenk gebunden. Vorher ist die zarte Haut mit einem Tuch umwickelt worden, damit die festangezogene Kordel nicht in die Haut einschneidet. In ihren Gesichtern liegt Anspannung und Faszination, der Tanz wirkt bei diesen Kleinen schon wie selbstverständlich.

Saradini gibt mir einen Wink, und wir beginnen. Über dem präzisen Rhythmus der Füße, dessen helles Aufklatschen ich inzwischen gelernt habe, soll jetzt eine Armbewegung ausgeführt werden. Haltung und Winkel des Arms sowie die Stellung der Finger sind in vier Grundpositionen unterteilt, die ein durchgängig weicher Bewegungsfluß verbindet. Doch jedesmal, wenn ich die Füße hart und flach aufschlage, durchfährt mich von Kopf bis Fuß ein heftiges Schütteln. Die Kordel der Ghungrus reibt bei jedem erneuten Aufprall gegen meine Knöchel und die Koordination der Armhaltungen lenkt meine Aufmerksamkeit vom Spiel der Füße ab. Ich vertue mich unentwegt im Auszählen der Schritte und bin geistig noch angestrengter als körperlich. Ich stöhne leise vor mich hin. Aus allen Ecken des Klassenraums schallt der Sechzehnertakt zu mir herüber; Anfänger tanzen ihn langsam, und Fortgeschrittene multiplizieren sein Ausgangstempo um ein Vier-, Acht- oder gar Sechzehnfaches. Saradini tröstet mich und versichert mir, das Auszählen einzelner Taktschläge werde später überflüssig, da die Füße genau wüßten, was sie zu tun hätten.

Dann fährt sie fort, mich eine Reihe kunstvoll aneinandergereihter Tänze zu lehren, deren mathematisch auskalkulierte Fußarbeit von graziösen Armbewegungen untermalt wird. Die kurzen und ihrem Aufbau nach einfachen Kompositionen heißen „Todas". Die Todas im Kathak ähneln den Chalis im Manipuri-Tanz. Auch sie dienen dem Anfänger zum Einstieg in das grundlegende Bewegungsrepertoire des Tanzes. Sie sind äußerst dynamisch, sprühen vor Lebendigkeit und drücken die reine Freude an der ästhetisch-dekorativen Bewegung aus. In der Tanzsprache fallen diese Tänze unter die Kategorie des „Nritta", des abstrakten, an der Technik orientierten, virtuosen Tanzens.

Die meisten Todas werden von einer Reihe schneller, unmittelbar aufeinanderfolgender Drehungen um die Mittelachse abgeschlossen, deren letzte Wirbelbewegung präzise in die Stille des ersten Taktschlags einmündet. Dem folgt eine bedeutungsvolle und selbstbewußte Pose der Tänzerin.

Begleitet werden sie von einer ungewöhnlichen Silbensprache, die Saradini während des Tanzens für mich rezitiert. Die Silben, die aus hart und weich klingenden Lauten bestehen, heißen „Bols". Sie haben die Alchemie des Klangs, der rhythmischen Phrasierung unter besonderem Einsatz von Stimme. Allein schon die tonale Ausgestaltung solch eines Klanggedichts verdeutlicht dem Tänzer die rhythmische Struktur und Stimmung einer Komposition. Ich empfinde die Deklamation der Bols als sehr fremdartig und habe Mühe, sie als Teil meines Tanzes zu begreifen.

„Tat tat thai, tat tat thai, tat tat thai", wiederholt Saradini zur Begleitung meiner Drehungen und klatscht dabei im Takt in die Hände. Für sie scheinen die Bols wahrhaft magische Formeln zu sein. Ich ersetze die Silben durch ein einfaches Auszählen auf „Eins, zwei drei" und versuche die Drehung auf drei zu beenden. Ich zähle leise vor mich hin, Saradini bedeutet mir, dabei nicht die Lippen zu bewegen.

Die Entstehungsgeschichte dieser ausgeprägten Silbensprache befindet sich in den zahlreichen Legenden über die sagenumwobene Kindheit und Jugend des Gottes Krishna.

Krishna, göttliche Inkarnation in Menschengestalt, wurde in Mathura, nicht unweit von Agra, im heutigen Staate Uttar Pradesh geboren. Gemäß einer Prophezeiung kam er in die Welt, um den bösen Dämon Kamsa zu besiegen, der die Erde mit seinem Terror unterdrückte. Doch Kamsa war Krishnas Onkel und wußte um die Voraussagung. Er beschloß, das Kind gleich nach seiner Geburt umzubringen. Um den mörderischen Absichten Kamsas zu entgehen, brachte Krishnas Vater ihn heimlich nach Gokula, einem unweit gelegenen Dorf. Dort hinterließ er das Neugeborene bei dem einfachen Kuhhirten Nanda und dessen Frau Yashoda. Nanda und Yashoda zogen das Kind groß, als wäre es ihr eigenes, und Krishna wuchs zusammen mit ihrem leiblichen Sohn Balarama als Kuhhirte auf. Sein Aufenthalt im idyllischen Gokula endete, als er seine Bestimmung erfüllte, nach Mathura zurückkehrte und den Dämon Kamsa besiegte.

Krishnas besondere Herkunft kommt in seiner ungewöhnlichen Erscheinung zur Geltung. Seine feingeschwungenen Augen gleichen an Schönheit den Blättern der königlichen Lotosblume. Sein üppiges, schwarzgelocktes Haar schmückt er mit einer Krone aus Pfauenfedern, und von seinem Körper geht ein Leuchten aus, das an das Strahlen des Mondes erinnert. Er trägt ein kostbares Juwel an einer Halskette, sein geschmeidiger Gang ist verlockend und überaus graziös. Das beseelte Spiel seiner Flöte gleicht einem Ruf nach Wahrheit, ihr melodischer Klang einer göttlichen Symphonie. Seine Gegenwart versetzt sogar die Tierwelt in einen Zustand entrückter Freude, und keine der Milchmägde, der Gopis, vermag dem Zauber des Gottes zu widerstehen.

In jungen Jahren stiehlt Krishna ihnen immer wieder heimlich einen Trunk Buttermilch. Holt eine der Milchmägde vom Jammuna-Fluß Wasser, schleicht er sich leichtfüßig in ihre Vorratskammer. Dort, auf den hohen Regalen, wird das kühle und köstliche Getränk in großen Tonkrügen aufbewahrt. Von Verlangen überwältigt, nimmt er einen Anlauf und bricht mit Hilfe eines langen Bambusstabes ein Loch in den Krug. Die Buttermilch strömt heraus. Er fängt sie gierig in seinen Händen auf und trinkt. Doch bald kehrt eine der Gopis vom Fluß zurück und ahnt beim Anblick des Durcheinanders, daß Krishna hier sein Spiel treibt. Schuldbewußt lauert er in einer Ecke, wo ihn die ärgerliche Milchmagd aufstöbert. Sie zieht ihn aus dem Versteck hervor und holt zur Ohrfeige aus. Doch ihr Ärger kann dem Anblick des lieblichen, mit Buttermilch verschmierten Gesichts nicht widerstehen. Plötzlich hält sie inne und wandelt ihre impulsive Geste in eine ebenso heftige Umarmung.

Krishna ist auch unter dem Namen „Natavara", „Bester unter den Tänzern", bekannt. In der dazugehörigen Legende spielt er mit seinen Freunden an den Ufern des Jammuna-Flusses Fangball. Im Übermut des Spiels fliegt der Ball ins Wasser, in dem die giftige, siebenköpfige Schlange Kaliya haust. Doch Krishna kennt keine Furcht. Er springt in die tiefen, abgründigen Gewässer und taucht bis zu Kaliyas Reich auf den Grund des Flußbetts hinab. Dort fordert er das Schlangenmonster zu einem heftigen Zweikampf heraus, besiegt die Schlange und treibt sie ans Ufer. Einen Siegestanz auf den zahlreichen Köpfen Kaliyas vollführend, ruft Krishna die Silben „ta thai" und „tat" aus. So sind die Natavari-Bols entstanden. Zusam-

men mit den von ihnen abgeleiteten Silben „digidigi, tram" und
„tigdha" werden sie noch heute von Kathak-Meistern zur Begleitung vieler Todas rezitiert.

Die ersten zehn Todas, die ich in der Nrityabharati lerne, bedienen
sich reiner Natavari-Bols. Eine Klangkomposition von Natavari-Bols
kann sich folgendermaßen anhören:

tigdha tigdha thai
tigdha tigdha thai
tathaithaitat
tathaithaitat
tattat tattatthai
tat tattatthai
tigdha digadigathai tram thai
tigdha digadigathai tram thai
tat tat thai (i)

Saradini spricht die Bols mit einer Schnelligkeit und Präzision,
daß es mir den Atem verschlägt. Beiläufig hält sie das Taktmaß durch
ein leichtes Antippen ihres Daumens an die restlichen Fingerkuppen
ein und folgt dabei aufmerksam den Bewegungen ihrer Schülerinnen.
„Ohne Todas und Bols", pflegt sie zu sagen, „gibt es keinen Zugang zu der vielgestaltigen Ausdruckswelt des Kathak. Die Technik
ist die Grundlage, will man die subtile Körper- und Gestensprache
der inhaltlichen Darstellung verstehen."
Tempo und Dynamik des Kathaktanzes liegen mir, und ich folge
Saradinis Anweisungen im lauten und unruhigen Tanzraum, so gut
ich kann. Als der einsetzende Monsun das Ende des langen Sommers bekundet, erklärt sie mir, Frau Bhate erwarte mich fortan zum
Unterricht. Meine eigentliche Ausbildung an der Nrityabharati beginnt.

Die Füße erden:
Rhythmische Gestaltung – „Tal" im Kathak

Der Sechzehner-Zyklus oder „Tintal" besteht aus sechzehn regelmäßigen Takteinheiten oder „Matras". Diese sechzehn Matras werden wiederum in vier gleichmäßige, rhythmische Gruppierungen unterteilt. Dem ersten Matra „Sam", von Tänzern und Trommlern besonders hervorgehoben, fällt im Kathak eine wichtige Rolle zu, denn jede Bewegung nimmt den ersten Taktschlag zu ihrem Ausgangspunkt und kehrt im Verlauf ihrer tänzerischen Entfaltung im Crescendo wieder zu ihm zurück. Zur Bedeutung des Rhythmus und der indischen Rhythmus-Lehre siehe Kapitel 2, Seite 46 - 48 und Kapitel 4, Seite 96 - 98.

Das sechzehnteilige Grundmetrum wird zuerst genau durch den flachen, abwechselnden Aufschlag der Füße wiedergegeben. Nach jeder Vierer-Gruppierung, beim fünften, neunten und dreizehnten Matra, wird derselbe Fuß im Seitenwechsel nochmals aufgeschlagen. Als einfache Übung kann das Ausgangstempo verdoppelt und anschließend vervierfacht werden, wobei die gegebene Zeitspanne eines Matras durch den zweifachen oder vierfachen Aufschlag der Füße ausgefüllt wird. Das Auszählen des Tintal von eins bis sechzehn wird durch die Rezitation von „Bols", den hauptsächlich dem Tablaspiel entnommenen rhythmisch-skandierten Silben, ersetzt. Jeder rhythmische Zyklus besteht aus einer Anordnung von zwei und/oder drei Matras, das heißt geraden und ungeraden Takteinheiten. Die dem Rhythmus innere Struktur und Dynamik verleihende Synkopierung wird im Kathak durch die verschiedenen Anordnungen der Bols zum Ausdruck gebracht.

Bei der Fußarbeit werden die Hüften in vertikaler Linie über den Knien gehalten, so daß sich das Zentrum der Schwerkraft im Becken nicht rückwärts verlagert. Um das Becken über den Beinen zu halten, kann der Aufschlag der Füße an einer Ballettstange geübt werden. Wenn die Füße – die Knie nur leicht angebeugt – auf den Boden aufschlagen, entsteht ein klatschender, gut hörbarer Laut, dessen Ton sich für den rechten und linken Fuß verschieden anhören kann.

Das Umbinden der Fußglocken „Ghungrus"

Drei verschiedene Fußpositionen

Flacher Aufschlag

Angehobene Ferse
schlägt auf

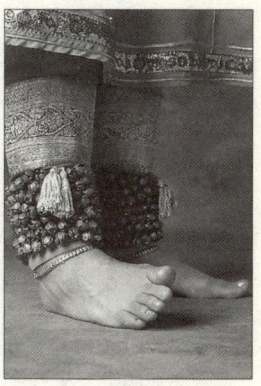

Außenkante des Fußes
schlägt auf

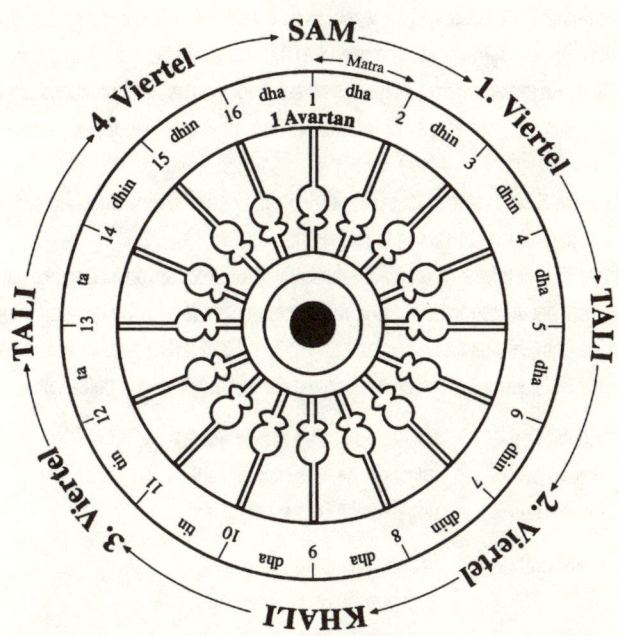

Der Sechzehner-Zyklus des Tintal mit seinen Gesetzmäßigkeiten

Tal: sam, tali, khali, tali; Matras: Takteinheiten von 1 - 16; Vibhag: 4 Takteinheiten,
die den Tal untergliedern; Avartan: 1 Umdrehung

Übungsvorschläge

Halte die Füße leicht auswärtsgedreht vier Fingerbreit auseinander. Zähle bis sechzehn und schlage die Füße sechzehnmal flach auf den Boden auf. Dann ersetze das Auszählen durch die Bol-Rezitation:

dha dhin dhin dha – dha dhin dhin dha – dha tin tin ta – ta dhin dhin dha.

Verdopple und vervierfache das Grundtempo jetzt durch den 32fachen oder 64fachen Aufschlag der Füße, ohne das einmal begonnene, regelmäßige Auszählen des Tintal zu verändern. Beschließe die Übung immer genau mit dem ersten Taktschlag eines neuen Zeitkreises.

Beachte: die anfangs gewählte Zeitspanne bleibt dieselbe, nur die sie ausfüllenden Taktschläge multiplizieren sich!

Die in Kapitel 1 gezeigten Arm- und Handbewegungen können jetzt zusammen mit dem rhythmischen Aufschlag der Füße ausgeführt werden. Dabei bedeutet ein Seitenwechsel der Füße auch immer ein Wechsel der Arme: der erste Taktschlag im Sechzehner-Zyklus wird durch den Aufschlag des rechten Fußes angegeben, wobei sich der rechte Arm in die erste der in vier Übungsabschnitte untergliederten Position nach oben (in Übung 2 zur Seite) hebt. Schlägt der linke Fuß nach einer Vierer-Gruppierung im Seitenwechsel auf, hebt sich dementsprechend der linke Arm. Auch hier kann das Tempo bei gleichbleibendem Grundrhythmus verdoppelt und vervierfacht werden.

Beachte: die Füße schlagen hart und präzise auf, doch die Arme bewegen sich weich und fließend. Die Augen folgen der Bewegung der Hand.

Als nächster Schritt folgt eine das sechzehnteilige Grundmetrum ausschmückende Fußarbeit „Tatkar", die sich der folgenden Bols und ihrer entsprechenden rhythmischen Gruppierungen bedient: *dhakita dhakita dhina* oder ausgezählt: 1 2 3, 1 2 3, 1 2. Der Aufschlag der Füße zu den entsprechenden Bols wird auch in den Variationen der Fußarbeit immer beibehalten.

dha	rechter Fuß	flacher Aufschlag (ganze Sohle)
ki	linker Fuß	angehobene Ferse schlägt auf
ta	rechter Fuß	angehobene Ferse schlägt auf
dha	linker Fuß	flacher Aufschlag
ki	rechter Fuß	angehobene Ferse schlägt auf
ta	linker Fuß	angehobene Ferse schlägt auf
dhi	rechter Fuß	ganze Außenkante schlägt auf
na	linker Fuß	angehobene Ferse schlägt auf

Variationen:

1. *dhakita dhakita dhina*
2. *dhakita dhina dhakita*
3. *dhina dhakita dhakita*

Kombinationen:

1 und 2, 2 und 3, 1 und 3, 3 und 1

Um die Mitte kreisen

Kapitel 3

Echo der Stille

Meine Fingerspitzen berühren in einer tief ausladenden Verbeugung den Boden vor Rohinis Füßen. Ich erhebe mich und lege die Handflächen zum Namaskar, dem traditionellen Gruß, zusammen.

Die demütige Verneigung beim Anblick des Gurus ist ein tägliches Ritual, mittels dessen der Schüler seiner inneren Bereitschaft zum Lernen symbolhaft Ausdruck verleiht. Bescheiden bekennt er vor dem Meister: „Ich weiß nicht um den Weg, um zu wahrem Wissen zu gelangen. Führe mich aus dem Dunkel meiner Unwissenheit zu Licht und Klarheit. Allein nur den Boden vor deinen Füßen zu berühren ist mir Unwissendem eine Ehre. Nimm dich meiner an! Unterweise mich in der Kunst!"

Rohinis gesellschaftliche Stellung als Guru des Kathaktanzes und als Leiterin der Nrityabharati ist unumstritten. Sobald sie in der Tanzschule auftaucht, kommen dort sämtliche Aktivitäten zum Stillstand. Jeder steht auf, wenn sie sich von ihrem Sitz erhebt und niemand unterhält sich, während sie redet. Ihre faszinierende Ausstrahlung ist voller Feinheit und Grazie und überträgt sich mühelos auf ihre alltäglichen Handlungen; ob sie vor der Stunde noch durch einen Stapel Post blättert oder beiläufig ihre flachen Sandalen abstreift – ganz gleich, was sie tut, ihrer Erscheinung wohnt eine besondere Würde inne, und von jeder ihrer Gesten geht eine Klarheit aus, die ihrem Tun Bedeutung verleiht. Sie wirkt nie überlegen, gibt sich eher natürlich und gelassen, dennoch besteht kein Zweifel, daß sie die Chefin der Schule ist.

Den Indern ist das Namaskar von Kindheit an eine selbstverständliche Geste. Bei meinen Mitschülerinnen genügt allein schon Rohinis Anblick, um eine unmittelbare Verbeugung auszulösen und sie berühren sogar dann den Boden, wenn Rohini gerade anderweitig beschäftigt ist. Ihre flüchtige Geste wirkt wie ein angeborener Reflex. Doch für mich ist die respektvolle Begrüßung am Anfang und Ende der Stunde ein schwerwiegender Schritt der Anpassung. Wollte ich Rohini nicht gern ähneln und empfände ich nicht solch eine Achtung vor ihr, käme mir diese Verbeugung sicherlich aufgesetzt vor.

Doch mir ist die Ausführung der Geste fremd. „Zeige mir die traditionelle Begrüßung", bitte ich Rohini zu Beginn unserer ersten Unterweisung. Sie zögert, ihre fest aufeinandergepreßten Lippen wirken noch schmaler. Leicht seitlich von mir abgewandt, bewegt sie schließlich ihre Arme in Schulterhöhe zu einem Halbkreis und führt die beweglichen Fingerspitzen in einer tiefen Verbeugung des Oberkörpers zum Boden. Ihre Armreifen klirren, mir fällt ihr langer, gerader Rücken auf. Sie erhebt sich langsam mit vor der Brust zusammengelegten Händen und gesenktem Haupt. „Ich habe mich ja vor dir verbeugt!" sagt sie leise. So gut ich kann, verneige auch ich mich vor ihr. Eine ungewöhnliche und einzigartige Beziehung beginnt.

„Ein Guru ist kein Lehrer", sagt sie sanft. „Ein Guru ist ein Meister! Dem Meister offenbart sich Kunst von innen heraus. Sie wird zu einer formgebenden Kraft, die ihn unentwegt zu neuem künstlerischen Schaffen anregt und sich durch sein Handeln vergeistigt.

Meiner Ansicht nach", fährt sie fort, „verwirklicht sich eine Kunstform auch in der Vollendung der für ihren besonderen Ausdruck empfänglichen Persönlichkeit."

Ist Kunst für sie etwa Religion, ein übergreifendes Gerüst, das Körper und Geist in eine feste Struktur einbettet? Ich hatte einen Guru bisher immer ausschließlich mit der Übermittlung geistiger Lehren verbunden. In meiner Vorstellung lebt er als Einzelgänger in tiefer Versenkung an den schwindelnden Hängen des Himalaya oder ist eine charismatische Schlüsselfigur, die östliche Lebensweise der westlichen Psyche zuträglich macht. Mal taucht er in Gestalt eines undurchsichtigen Zen-Meisters auf, der seinen Schülern unlösbare Rätsel aufgibt, mal hält er uns als Buddha schweigend eine Blume vor Augen. Aber ein Guru in der Kunst? Warum genügt zum Tanzen nicht ein guter Lehrer?

„Ein Lehrer vermittelt Technik", erklärt sie. „Er bereitet begabte Schüler auf die spätere Unterweisung durch den Meister vor. Dieser nimmt sich vorwiegend der Vollendung des Ausdrucks sowie der Verfeinerung technischer Details an. Es gibt aber keine klare Trennlinie zwischen den beiden. Vielleicht könnte man sagen", fährt sie fort, „daß ein Meister Technik verinnerlicht hat. Er kennt sein Metier aus jedem Winkel seines Herzens und bereichert die klassische Form mit Neuschöpfungen. Damit setzt er Maßstäbe für die Zukunft, seine Auslegung des Tanzes ist maßgebend für die Fortdauer der Tradition. Nicht immer fühlt sich jedoch solch ein Meister zur Weitergabe seiner Kunst berufen, und so manches Mal ist ein Repertoire unwiederbringlicher Tänze zusammen mit einem Meister ins Grab gegangen. Verleiht ihm sein reicher Erfahrungsschatz aber auch ein Auge für das in einem Schüler schlummernde Potential, dann wird ein Meister zum wahrhaften Guru. Er unterrichtet gezielt! Einem Töpfer gleich, der den Ton so lange knetet, bis er sich unter seinen Händen zu formen beginnt, formt er seine Schüler. Und kein Kunstwerk gleicht dem anderen! Ein Guru weiß um die Bedeutung der Persönlichkeit und baut eine einzigartige Beziehung zu jedem einzelnen seiner Schüler auf."

„Und der Schüler?" werfe ich ein. „Unterwirft er sich denn immer bedingungslos den Anweisungen des Gurus? Hat er überhaupt kein Recht auf eine eigene Meinung?"

Sie fährt mir übers Haar: „Mach dir darüber keine Sorgen", sagt sie lachend. „Solch ein Guru würde es bei dir sicherlich schwer haben! Aber", fährt sie fort, „um selbst zum Meister zu werden, sollte man zuvor einmal einem Meister begegnet sein. Er zeichnet uns die Landkarte für den Weg! Kein Fremder findet den versteckten Pfad durch ein Dickicht. Kein gewöhnlicher Suchender sieht die Wahrheit, nur wenn er die Augen schließt. Und kein Künstler bemächtigt sich der Tradition, ohne erst einmal die Technik zu lernen, mit der er seinen eigenen Stil herausbildet; ohne der Seele des Tanzes im Tanz des Meisters begegnet zu sein."

Sie führt mich nach nebenan in den Tanzraum, der heute leer

und ungewohnt groß wirkt. Kurz innehaltend, verneigt sie sich feierlich in die vier Richtungen des Raumes: „Das Namaskar", sagt sie ehrfürchtig, „gilt nicht nur mir allein! Du verbeugst dich dabei auch vor den Meistern vergangener Tänzergenerationen, die einst das Erbe der Kunst in Form von mündlicher Überlieferung weitergaben."

Sie verneigt sich also vor den verblichenen Fotografien einstiger Tänzer, die die Wände der Nrityabharati schmücken.

„Eine endlose Kette", denke ich mir.

Der tägliche Unterricht mit Rohini ist anstrengend, ihre Methode der Unterweisung detailliert und gleichermaßen komplex. Mir scheint, sie experimentiert wie eine Bewegung für mich am besten zur Wirkung kommt.

„Für deine Größe kannst du die angewinkelten Arme ruhig weiter auseinander halten", sagt sie das eine Mal. Und dann: „Mach die Bewegungen nicht immer so riesig. Halte dich beim Tanzen zurück."

Das Spiel der Augen ist für sie von zentraler Bedeutung. Rohini nennt sie die „Fenster zur Seele" und gibt mir immer wieder zu verstehen, daß es deren Projektionsfähigkeit ist, die dem Tanz Lebendigkeit verleiht. Wenn sich meine Hände zur Begleitung der Tanzsilbe „thun" von einer Knospe zu einer Blüte aufdrehen, sollen meine Augen der Bewegung folgen um ihr besonderen Nachdruck zu verleihen. „Mehr Seele!" bemerkt sie dann, und ich füge den zögernden Rhythmen meiner Füße und den unsicheren Gesten meiner Hände einen ebenso vagen Gesichtsausdruck hinzu.

Die unausgeglichene Bewegung! Das bin ich jetzt selbst. Ich kann meine Unfähigkeit nicht hinter einer Maske rein mechanischen Übens verbergen und werde mir ihrer schmerzlich bewußt. Ich zerfalle in zusammenhanglose Teile, obwohl ich mich bemühe, den verschiedenen Körperbewegungen gerecht zu werden. Doch will die Hand dem Arm nicht mehr gehorchen, der Blick schweift angestrengt umher, und die Füße vergessen den Rhythmus, den sie eben noch so unbeschwert wiederholt hatten. Später verstehe ich, daß ihre ganzheitliche Methode mich von Anfang an niemals zum bloßen Schatten meines Tanzes werden ließ und mit dem Fluß der Bewegung auch meine Ausdruckskraft erweckte.

Wir fahren auch mit dem Üben der Drehungen, der Chakkars,

fort. In den von Rohini zusammengestellten Übungen werden die Chakkars in schneller Folge zu immer länger werdenden Sequenzen aneinandergereiht und enden schließlich mit siebenundzwanzig aufeinanderfolgenden Pirouetten. Ihre gekonnte Darbietung erinnert an einen Wirbelwind, in dessen ruhender Mitte die Tänzerin gelassen und beherrscht agiert.

Mir wird beim Drehen schwindelig. Jedesmal, wenn ich das Gleichgewicht verliere und die Wände des engen Raumes auf mich einstürzen, hält Rohini ihre aufgerichtete Hand in Augenhöhe vor mir hoch. „Lerne bei Abschluß jeder einzelnen Drehung den Blick ausschließlich bewußt nach vorn auf einen in Augenhöhe liegenden Punkt zu richten", sagt sie.

In alten Zeiten wurde ein Kreis glühender Holzkohle um die Füße der Tänzerin gelegt, so daß sie ihre Drehungen innerhalb eines Kreises von etwa einem Meter Durchmesser ausführen mußte. Rohini, sich vielleicht an diese altertümliche Methode erinnernd, stellt statt dessen einen Kreis von niedrigen Hockern um mich herum. Fällt einer während meiner Drehungen um, höre ich auf und beginne wieder von vorn.

Ein stechender Schmerz im linken Fuß bringt meine Drehungen zu einem plötzlichen Halt. Seit Beginn der Stunde versuche ich meine linke, stark angefeuchtete Fußsohle gegen den Widerstand des dumpfen, haftenden Bodens zu bewegen. Die Blasen auf der zarten Hornhautschicht des Ballens sind geplatzt, die Haut hängt in Fetzen von meinem Fuß: denn während das rechte, aktive Spielbein mit einem überkreuzten Drehschritt über dem linken Standbein aufsetzt, dreht sich das linke Bein lediglich um sich selbst, so daß der linken Fuß während der Drehungen ununterbrochen dem rechten nachschleift. Der Boden glänzt naß von meinem Schweiß, und die feuchte Luft lastet auf meinen Gliedern.

Rohini betrachtet meinen Fuß. Inder sind es gewohnt, barfuß oder in leichten Sandalen zu gehen und haben feste und widerstandsfähige Fußsohlen.

„Schneide die Haut mit einer Nagelschere an den Rändern der Blasen ab, so kann die Wunde verheilen", rät sie mir und fährt unbeirrt mit dem Üben der Drehungen fort.

Der kühle Steinboden verwandelt sich in eine glühende Unterlage. Brennender Schmerz macht meine Füße taub. Manchmal schießt er wie ein Pfeil bis in meine Oberschenkel hinauf. Mein Mund ist trocken, ich hefte meinen Blick auf die leere Wandtafel. Mein Körper verkrampft sich bis in den Nacken, ich ziehe mein Gewicht mit zusammengepreßten Händen immer wieder von den Füßen weg. Angst vor der nächsten Drehung liegt wie ein Schatten über mir. Bis zur nächsten Stunde besorge ich mir Verbandszeug und schneide die Haut säuberlich an den Rändern der Blasen ab. Doch nach den ersten Drehungen auf dem glatten Verbandmull rollt sich die Binde zu einer klebrigen Röhre zusammen, schließlich muß ich sie wieder entfernen. Die Schmerzen hindern mich auch bei der Fußarbeit. Ich kann meinen linken Fuß nicht mehr regelmäßig aufschlagen. Wird der Aufschlag meiner Füße besonders unregelmäßig, läßt Rohini mich mit dem Metronom allein. Sie unterhält sich dann mit Besuchern oder erledigt ihre Telefongespräche.

Zum gleichförmigen Ticken des Metronoms schlage ich meine Füße flach und im langsamen Tempo auf und lausche dabei auf ihren Klang. Die Schritte sollen sich so gleichmäßig wie eine Perlenkette aneinanderreihen und den Schellen ein melodisches Rasseln entlocken. Habe ich mich in den Grundrhythmus vertieft, multipliziere ich das Tempo bis zum Sechzehnfachen seiner Ausgangsgeschwindigkeit. Doch nach kurzer Zeit versagen meine Beine, und ich muß wieder zum Grundtempo zurückkehren. Die Routine beginnt von vorn. Meine Gedanken entgleiten dem eintönigen Spiel der Füße, deren Erdschwere und Schmerz unerträglich werden. Der Raum füllt sich mit Eintönigkeit des vor sich hin tickenden Metronoms, mit einer lähmenden Lustlosigkeit und Langeweile.

Rohini entgeht mein Gemütszustand nicht. In einer jener bedauerlichen Stunden stellt sie das Metronom plötzlich ab.

„Ich kann es einfach nicht", sage ich wütend und den Tränen nah. Ich werde von Selbstzweifeln geplagt. Wie sehr ich mich auch bemühe, der Erfolg bleibt aus. Das Tanzen kommt mir reizlos und mechanisch vor. Rohini nimmt mich beim Arm und zieht mich auf den Stuhl. Ich breche in Tränen aus. Sie klopft mir immer wieder sachte auf den Rücken und bestellt uns Tee.

Während ich mit ihrem Taschentuch dasitze, beginnt sie vorsichtig: „Das Training leidet etwas unter deiner Launenhaftigkeit, nicht wahr?" Ich schaue auf. Kann man es mit „launenhaft" bezeichnen, wenn ich ein einziges Mal in Monaten die Geduld verliere? Und das bei all den Strapazen?

„Ich finde, daß ich mich sehr bemühe", entgegne ich ihr.

„Schon", sagt sie, „aber wie du es machst, ist es von Grund auf verkehrt. Höre auf, zu hohe Erwartungen an dich zu stellen. Habe Geduld. Erforsche, warum dir eine Übung mißlingt! Wiederhole sie immer wieder! Die Übung selbst ist schon das Ziel. In ihr verbirgt sich der künftige Erfolg. Finde im Üben Erfüllung, denn Ungeduld lähmt das Ich und verunsichert Körper und Geist.

Als ich zu tanzen begann", fährt sie fort, „war ich noch sehr jung. Der Hindutanz galt unter britischem Einfluß als nicht mehr gesellschaftsfähig, und es ziemte sich nicht für Töchter aus gutem Hause, das Tanzen aufzugreifen. Es gab wenig Tanzlehrer, und ich nahm Unterricht bei dem einzigen Tänzer, der in der Umgegend lehrte.

Später, als ich einem Meister der Tanzkunst begegnete, unterwies mich dieser nicht immer systematisch. Ich saß stundenlang da und sah ihm einfach nur zu, seinen anmutigen Körperhaltungen und geschmeidigen Gesten, seiner ungeheuer subtilen Ausdrucksfähigkeit. Dabei prägte ich mir jedes Detail seines Tanzes aufmerksam ein. Manchmal bat mich der Meister, das eine oder andere Stück statt seiner zu wiederholen, und erläuterte bei dieser Gelegenheit die Bedeutung der verschiedenen Stilelemente des Kathak. Ich kann mir seinen Tanz heute noch wieder in Erinnerung rufen, doch habe ich versucht, meinen Schülerinnen durch eine Systematisierung des Tanzes solch zeitraubende Mühen zu ersparen". Sie räuspert sich und sieht mich durchdringend an: „Überlasse dein Weiterkommen einfach mir. Vertraue in meine Methode der Unterweisung!"

Ich nicke zustimmend. Doch fällt es mir schwer, in dieser fremden Umgebung die Kontrolle aufzugeben und ihr bedingungslos zu folgen. Meine vertraute Welt hat auf einmal ihr Gesicht verändert und ist zu einer Welt voller Rätsel geworden, die mir bisher ungeahnte Denk- und Verhaltensweisen abverlangt. Die Fähigkeit zur Selbstaufgabe und die damit verbundene Hingabe an den Meister sind in Indien eine Voraussetzung zur Erlangung von höherem Wissen. Der Schüler soll sich innerlich leer machen und einen Zustand der Unvoreingenommenheit erreichen, der die unmittelbare Übertragung von Wissen ermöglicht. „Die Leere behaust die gesamte Schöpfungskraft", hatte Rohini einmal bemerkt und hinzugefügt: „Das Sein entspringt aus dem Nichtsein, wie der Klang aus der Stille und wie das Licht aus dem Raum." Aber mein kritischer Verstand wehrt sich gegen die Aufgabe von Bewertungen. Ich klammere mich an die bisher unangetastete Autorität meines selbständigen Denkens und verdränge die quälende Ungewißheit, die mich angesichts der Frage nach dem Sinn meines Daseins überfällt. Doch jetzt muß ich mir diese Unsicherheit vollends eingestehen, jene verzweifelte Suche nach Sinn und Tiefe, die sich bisher nirgendwo verankern ließ.

Als Rohini mich überraschend zu einer gemeinsamen Reise nach Bhopal der Hauptstadt Madhya Pradeshs, einlädt, wo „Kathak Prasang", eine wichtige Konferenz über die Jaipur-Schule des Kathak abgehalten werden soll, willige ich freudig ein. Während unseres zehntägigen Zusammenlebens in einem Hotelzimmer kommen wir uns schließlich näher.

Am meisten beeindruckt mich ihre morgendliche Routine. Ein tiefer, monotoner Gesang weckt mich gegen fünf Uhr aus dem Schlaf. Es ist fast ein Summen, klangvoller als ein Lied. Ich blinzele verschlafen in den heranbrechenden Tag, dessen erstes Licht gerade zaghaft in den Raum fällt. Die Welt ist unberührt. Draußen ist es still. Rohini sitzt kerzengerade mit übereinandergekreuzten Beinen auf einer dünnen Wolldecke auf dem Boden. Sie hat sich einen Schal umgelegt, ihr schwarzes Haar sammelt sich in langen Strähnen am Boden, bedeckt ihn wie mit einem dünnen Film. Bewegungslos verharrend singt sie leise dieselbe Silbe vor sich hin. Ihr Atem wird länger und ruhiger, mehrere Silben reihen sich aneinander, vibrieren und fließen. Ich schließe die Augen wieder und fühle mich geborgen. Kaum ist die letzte und längste der Silben verklungen, beginnt Rohini mit ihren Yogahaltungen (Asanas), und wenn ich mich verschlafen aus dem Bett quäle, ist sie schon strahlend frisch und macht Anmerkungen zu den Vorträgen der Konferenz. Wir frühstücken gemeinsam, dann kämmt sie ihr glänzendes Haar. Ungeschnitten fällt es bis zum Boden herab. Den altmodischen, weitgezackten Holzkamm bewegt sie nur mit äußerster Sorgfalt und hält dabei das Haar am obersten Ende fest, so daß der Kamm nicht daran zieht. Fast knabenhaft schlank ist sie und ungewöhnlich groß mit 1,70 Meter. Ihr zierlicher Körper erinnert an eine Gazelle, ihr markantes Gesicht mit den mandelförmig langgezogenen Augen und dem schmalen Mund wirkt nachdenklich. Sie hat wenig mit den lieblichen Figuren der in Stein verewigten indischen Tempeltänzerinnen gemeinsam; mit deren runden Augen und üppigen, vollbusigen Körpern, ihren breit ausladenden Becken und der im Vergleich überaus schmalen Taille.

Die Vorträge auf der Konferenz werden in Hindi abgehalten. Nur hin und wieder wird der Redefluß von einer kurzen Tanzeinlage unterbrochen. Einmal wird ein schmächtiger Mann aufs Podium gerufen. Er zieht ein Band von Fußglocken aus seinem Beutel hervor, hebt sie in einer zärtlichen Geste zur Stirn und legt sie vor sich auf den Boden nieder. Rohinis Worte, daß Kunst samt ihrem Zubehör wie eine Göttin zu behandeln sei, fallen mir bei seinem respektvollen Gebaren ein. Er bedeckt seine Knie mit einem Tuch und stimmt ein Lied an. Farbe kommt in sein Gesicht und Leben in seine Hände. Es ist faszinierend, ihm zuzuschauen. Wahrlich, er tanzt im Sitzen! Sein Name ist Kalyandas Mahant. Er gehörte schon als Kind zum Hofe Chakradhar Maharajs, einem König in einem kleineren Staate Madhya Pradeshs. Chakradhar Maharaj war ein Mäzen des Kathak und holte die besten aller Tänzer an seinen Darbar, den königlichen Hof. Kalyandas wurde eigens von dem Maharaj im Tanz unterwiesen und lernte auch unter verschiedenen Meistern anderer Stilrichtungen.

„Er war noch Zeuge einer vergangenen Epoche", erzählt Rohini. „Zu seiner Zeit galt Kathak noch als Hoftanz. Ursprünglich aber war dieser Tanz ein hinduistischer Tempeltanz der von einer Kaste von Geschichtenerzählern und wandernden Barden in den Tempeln Nordindiens vorgetragen wurde. Später wurde Kathak von den Nordindien erobernden Muslimfürsten zum unterhaltenden Hoftanz umgewandelt und vollzog so einen Wandlungsprozeß vom sakralen Tempeltanz zum säkularen Hoftanz.

Weißt du", fährt sie fort, „ich habe in meinen eigenen Choreographien versucht, Elemente des religiösen Tempeltanzes wiederzubeleben. Es gibt einige typische Gesten der Hoftänzer, die ich nur sparsam verwende." Sie beläßt es bei dieser Bemerkung, und ich verstehe, daß es verschiedene Stilrichtungen und Schulen in der Präsentation des Kathaktanzes gibt.

Einmal eilt sie unversehens auf einen stattlichen Mann zu, den ich von einem der Fotos im der Nrityabharati wiedererkenne. Sie berührt geschwind seine Füße, und er zieht sie an den Schultern zu sich auf. Beide begrüßen sich herzlich, sie nennt ihn liebevoll „Guruji". Ich tue, was sie von mir erwartet, und führe das Namaskar vor ihm aus. Sie unterhalten sich auf Hindi, ich stehe neben ihr und warte. Keiner spricht in ihrer Anwesenheit mit mir. Als ihre Schülerin ist mir in der Öffentlichkeit eine eigene Meinung versagt. Statt dessen fragt man Rohini nach mir. Sie antwortet immer lobend: ich sei eine gute Schülerin und hätte Talent zum Tanzen. Auf die Frage, ob ich in Zukunft einmal einen Beweis meiner Tanzkunst geben würde, zuckt sie nur unschlüssig mit den Achseln.

Nachdem sie ihren Vortrag über die Besonderheit des „Tala-mala" gehalten hat, einer komplizierten Kalkulation verschiedener rhythmischer Zyklen auf einen gemeinsamen Endpunkt hin, fahren wir zurück nach Poona.

Die üppig grüne Landschaft Madhya Pradeshs wird von der Hügelkette des Vindnya Gebirges durchzogen. Wir sitzen in der klimatisierten erste Klasse, vor Sonneneinwirkung und Staub durch abgedunkelte, schwere Glasscheiben geschützt; keine bettelnde Hand windet sich hier an den Stationen durch die offenen Gitterstäbe der Fenster hindurch, und kein Verkäufer reicht schnell ein Mahl herein. Die bläuliche Scheibe reflektiert das Licht, sogar die Bäume tragen blaue Kronen, und die Erde hat ihre Farbenpracht verloren.

Rohini schaut wenig nach draußen. Sie hat ihre Lesebrille aufgesetzt und blättert in der Tageszeitung. „Nun hatte ich keine Zeit, um Saris für meine Schwestern zu kaufen!" bemerkt sie mit Bedauern.

„Wir hätten uns doch mal eine Riksha zum Bazar nehmen können", entgegne ich.

Sie nickt zustimmend: „Ja, mit dir zusammen schon. Unser Fahrer war ja leider während der Konferenz auch noch anderweitig angestellt." Sie läßt die Zeitung träge auf den Schoß sinken, legt die Beine hoch und seufzt: „Wann gibt es endlich Tee?"

Der Zug läuft jetzt langsam über eine Brücke, unter der sich ein größerer Fluß windet. An seinen Ufern stehen zahlreiche Hindutempel und Ashrams. Pilger bevölkern die zu seinen Wassern hinunterleitenden Steintreppen und tauchen in seinen Fluten unter. Saris liegen zum Trocknen in der Sonne, Frauen winden ihr nasses Haar zu glänzenden Knoten.

„Das ist der Fluß Narmada", erklärt Rohini. „Wie alle mächtigen Flüsse ist auch dieser heilig. Seine Ufer sind Orte der Andacht. Gemäß alter Schriften entspringen die Flüsse dem Himmel und stürzen von dessen Höhe zur Erde herab.

Wasser und Feuer", fährt sie fort, „sind reinigende Kräfte. Der Hindu nimmt morgens ein rituelles Bad, um sich von Unreinheit zu befreien. Er bedient sich dabei der kühlen, fließenden Eigenschaft des Wassers, es reicht schon, wenn er sich nur eine Handvoll über den Kopf gießt."

Ich frage sie, warum der Gott Shiva nach der Legende den Ganga erst in seinem Haarknoten auffangen mußte, bevor er seine gewaltigen Fluten zur Erde schickte.

„Der Ganga gilt als zu mächtig", antwortet sie, „um unvermittelt auf die Erde herabzustürzen. Schon ein einziger Tropfen seines Wassers reicht, um die Seele der Gläubigen von den Verstrickungen ihrer früheren Leben zu befreien."

In Khandwa, der nächsten Station, kaufe ich uns auf dem Bahnsteig Tee. Frisch zubereitet, wird dieser in kleine Tonschalen abgegossen, die, einmal leergetrunken, aus dem fahrenden Zug geworfen werden. Ich bin mir des Privilegs dieser langen, unausgefüllten Stunden mit Rohini wohl bewußt und möchte mehr über den Tanz erfahren. Ich frage sie, was eine gute Tänzerin auszeichnet, und sie bittet mich um mein Heft. Der Leitsatz, den sie darin niederschreibt, wird mich noch lange beschäftigen. Er faßt die verschiedenen Eigenschaften eines vollendeten tänzerischen Ausdrucks zusammen und lautet folgendermaßen: „Wohin die Hand geht, dahin folgt das Auge. Wo der Blick verweilt, da sammelt sich der Geist. Wo der Geist sich sammelt, entsteht Bhava, Ausdruck, und wo Bhava ist, entspringt Rasa, der vollendete, ästhetische Kunstgenuß."

„Hände können sprechen", erläutert sie. „Sie gleichen Schattenfiguren, deren feine Konturen uns die Umrisse von Gegenständen andeuten, oder auch magischen Zeichen, die ihren tiefen Symbolgehalt übermitteln. Ihre intuitiv reflexhafte Geste kann eine Stimmung oder ein Gefühl verstärken, und der Kodex ihrer ausgebildeten Gestensprache läßt konkrete Handlung sichtbar werden. Das bewegte Zusammenspiel von Gesicht, Händen und Augen formt eine Leinwand für das Bewußtsein: eine dichte, bewegungsträchtige Fläche, auf die es sich projiziert. Ist diese Übertragung gelungen, entsteht Bhava, der Ausdruck der vollendeten tänzerischen Geste. Fehlt aber die Koordination von Körper und Ausdrucksvermögen, dann werden die Mudras der Hände zu einer leblosen Zeichensprache und gleichen den einzelnen, losgelösten Buchstaben eines Wortes, das sich seiner Bedeutung entledigt hat. Unter den Meistern der Kunst kommt es immer wieder vor, daß ihr Tanz von überwältigender Intensität und Klarheit ist und zu einer wahrhaft ekstatischen Darbietung anschwillt. Die Bühne, eben noch ein Raum mit nackten Wänden, wird zur magischen Kulisse ihres atemberaubenden Tanzes, der in dem dafür geeigneten Zuschauer 'Rasa', einen wahrhaft unaussprechlichen ästhetischen Genuß auslöst."

Daß die Augen der Bewegung der Hand folgen sollen, ist mir klar und auch, daß dies mehr oder weniger bewußt geschehen kann. Ich brauche nur an meinen ungeübten Blick, der die Tanzsilbe „thun" begleitet, zu denken. Wenn die zur Knospe geschlossenen Fingerspitzen sich auf thun zu einer Blüte aufdrehen, blicke ich dabei ins Leere. Ich kann die Geste nicht wirklich nachempfinden. Die Bewegung bleibt ausdruckslos: die Knospe ist nicht zu einer sich in den Raum öffnenden Blüte geworden. Und Bhava, das ist eine Blüte mit Farbe und Duft, eine vollendete, lebendige Form, die unsere Aufmerksamkeit einfängt. Aber was ist Rasa?

„Was ist Rasa?" frage ich.

„Rasa", antwortet sie, „kann mit Worten nicht erfaßt werden. Es ist das Flair im Tanz eines Meisters, dessen Schritte weit über bloße

Technik hinausragen. In Rasa verwirklicht sich ein flüchtiger Abglanz des Göttlichen! Der Tanz erlebt eine Verwandlung und dehnt sich in einen überpersönlichen, absoluten Ausdruck aus. Die Gesten des Tänzers fangen jetzt einen Hauch jener Harmonie und Vollkommenheit ein, die den Kosmos auf geheimnisvolle Weise durchdringen. Man könnte vielleicht sagen, Rasa ist die in sich gekehrte Ekstase eines Tanzes, der seine äußere Form sprengt und in eine umfassendere Wahrnehmung aufbricht."

Meint sie damit dieselbe Ekstase, die ich schon in Masterjis Tanz gespürt hatte; eines Tanzes, der Tänzer wie Zuschauer in sein Geschehen einfängt und alles Voyeurhaften entbehrt? Ist Tanz seinem tiefsten Wesen nach ein Gebet des Seelenkörpers an die pulsierende Lebenskraft, die unaufhörlich durch uns hindurchströmt und nach Ausdruck trachtet?

Draußen beginnt es zu dämmern. Ein blasser Sichelmond steht am Himmel, von den Feldern ziehen die Bauern auf ihren Ochsenkarren zurück ins Dorf. Am nächsten Morgen begrüßt uns schon das trockene, steinige Grasland Maharashtras mit vereinzelten Teak- und Termenalia-Bäumen. Gegen Mittag erklimmt der Zug schließlich die gewaltige Hochebene des Deccan-Plateaus und bringt uns zurück nach Poona.

Um die Mitte kreisen: Drehungen – „Chakkars" – im Kathak

Die atemberaubenden und raffinierten Drehungen (Chakkars) im Kathak tragen wesentlich zur Schönheit dieses vor Lebensfreude und Dynamik sprühenden Tanzes bei. In blitzschneller Aufeinanderfolge bilden sie den Abschluß der Todas: kurze, ihrem Aufbau nach einfache, phantasievoll-abstrakte Tänze. Am Ende eines rhythmischen Zyklus mündet die letzte Wirbelbewegung eines Chakkars präzise in die Stille des ersten Taktschlags ein und endet mit einer eindrucksvollen Pose der Tänzerin. Im Hinblick auf die Ausführung der Chakkars gibt es verschiedene Techniken und Schwierigkeitsgrade: vom einfachen, überkreuzten Drehschritt bis zur vierfachen Pirouette auf einem Bein oder als Aufeinanderfolge von raumgreifenden, weit ausladenden Drehungen, die dem gleichförmigen Kreisen eines Planeten um die Sonne ähneln (siehe Kapitel 3, Seite 70 - 71).

Der überkreuzte Drehschritt und die Bewegungen der Arme sollten zuerst getrennt geübt werden. Es ist wichtig, die Drehung genau um die Mittelachse auszuführen. Um dem anfangs häufig auftretenden Schwindelgefühl vorzubeugen und um die räumliche Orientierung zu wahren, wird der Blick beim Drehen ausschließlich bewußt nach vorn auf einen in Augenhöhe liegenden Punkt gerichtet.

Tanz 1

tat	tat	tat	thai	thai	tat
1	2	3		4	

a	thai	thai	tat	tat	tat	thai	–
5	6			7	8	9	10

(11–14 = wh. 7–10)	tat	tat	tat
	15	16	17

81

Tanz 2

ta	thunga	taka	thunga	digdhet
1	2	3	4	5

ta	ta ka	thunga
6	7	8

9 dige dige   10 dige dige   11 tat tat   12 thai

82

Tanz 2 (Fortsetzung)

tat tat thai   tat tat thai
13   14

tat   tat   ta
15   16   17 (1)

Tanz 3

| drige | zangira | drige | zangira | zanga | | zanga | | taka | thiraka |
| 1 | 2 | 3 | 4 | 6 | | 7 | | 8 | 9 |

| zan gana | | zanga | | ta ka | kuku |
| 10 11 | | 12 | | 13 | 14 |

| tig | | dha | | dige | dige | thai |
| 15 | | 16 | | | | 17 (1) |

Tanz 4

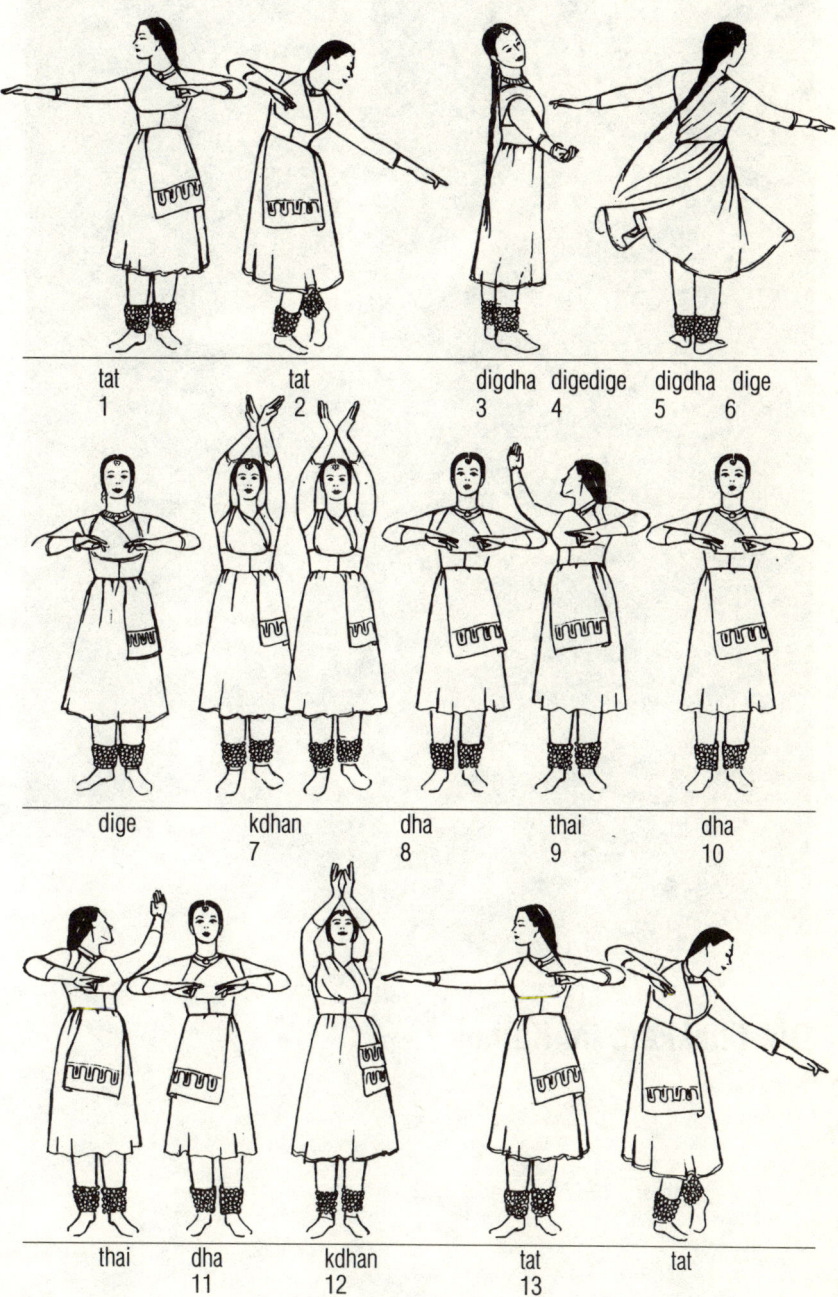

tat	tat	digdha	digedige	digdha	dige
1	2	3	4	5	6

dige	kdhan	dha	thai	dha
7	8	9	10	

thai	dha	kdhan	tat	tat
11	12	13		

Die Chakkars im Kathak

Tanz 4 (Fortsetzung)

digdha digedige	digdha digedige	tat tat	thai
14	15	16	17 (1)

Mit den Göttern sprechen

Kapitel 4

Shivas kosmischer Tanz

*Die Erde erbebt! Urgewalten toben zum donnernden Schlag ei-
ner Trommel. Ihr pulsierender Rhythmus entfesselt primäre Kräfte:
träger Schlamm wälzt sich mit tosenden Wassermassen voran. Funken
sprühen, die Atmosphäre ist von einem ungeheuerlichen Vibrieren
erfüllt. Inmitten dieses Chaos steht, fest, der wolkenverhangene Berg
Kailash, Shivas Wohnstätte und Schauplatz des Geschehens. Kraftvoll und energisch ist Shiva dort in seinem „Tanz der Entstehung"
begriffen. Theater ist ihm der Kosmos selbst, Sonne und Mond sind
sein Haarschmuck. Lodernde Flammen umgeben ihn, brechen mit
ihrem Schein die vorzeitliche Dunkelheit. Das Haar des Gottes weht
wild im Wirbel seines unbändigen Tanzes. Es ist ein vielseitiger Tanz:
Tanz der Galaxien, Kräftespiel zwischen den Elementen und eine
immerfort erschaffende und zerstörende Urbewegung.*

Der Kathak-Tänzer Durga Lal schreitet zur Mitte der Bühne. Er
sammelt sich zum Gebet, dem Shiva Vandana. Leise stimmt der Sänger einen Sanskritvers (Shloka) zur Huldigung Shivas an. Durga Lals
Hände erwachen, legen das Tigerfell um Shivas Hüften und die
mörderische Kobra um seinen Hals. Mit einer anderen Geste beschreiben sie den mit Vibhuti, mit heiliger Asche beschmierten Körper
des Urasketen, lassen ihn auf seinem Bullen Nandi reiten, oder sie
lassen den heiligen Ganga seinem Haarknoten entspringen. Der
Trommelwirbel von der konisch geformten und beidseitig geschlagenen Pakhavaj schwillt. Der rechte Fuß des Tänzers schlägt jetzt
gezielt auf dem Boden auf und hält den Urdämonen Apasmara nie-

der, ein Sinnbild für die Ignoranz der Unwissenden und für die Verkörperung solch negativer Eigenschaften wie Begehren, Eifersucht, Dummheit, Ärger, Habgier und Eitelkeit. Nun hebt der Tänzer sein linkes, leicht gebeugtes Bein in einer graziös ausladenden Bewegung hoch zur rechten Seite und nimmt damit die Grundhaltung des Shiva-Nataraja ein, die klassische Pose, die Shiva als kosmischen Tänzer zeigt.

„Nur wenn Shiva die zerstörerischen Kräfte des Urdämons unter ständiger Kontrolle hat, kann er Freiheit und Vollendung in seiner Bewegung erlangen", hat Rohini einmal zur verschlüsselten Bedeutung dieser Geste kommentiert, „eine Bewegung, die in ihrem Ausmaß den gesammelten Lebensraum der Menschheit umschreibt."

Seine rechte Hand hat der Tänzer, in Übereinstimmung mit dem berühmten Hindu-Ikon, in einer wohlwollenden Geste angehoben. Seine den Gegenübersitzenden zugewandte Handfläche, das „Herz der Hand", soll den Segen und Schutz des Gottes vermitteln, während die linke, vom geraden Arm abknickende Hand nach unten zeigt und auf den Urdämon verweist. Dadurch deutet sie den Pfad zur Befreiung an. Mit dieser majestätischen Pose des Shiva-Nataraja beschließt Durga Lal sein einleitendes Gebet. Danach wird er Nritta, die virtuose Technik des Kathak entfalten.

Ich sitze auf einem dünnen Teppich, unter mir staubige, unebene Erde. Ihre Kälte läßt mich frösteln. Der volle Mond ist hinter einer Wolke verschwunden. Rings um mich herum Menschen. In großen Scharen sind sie zu dem nächtlichen Freiluftfestival gekommen und haben es sich auf dem Boden bequem gemacht. Mein Nachbar, der anscheinend seine ganze Familie bei sich hat, ist kurz nach Mitternacht eingenickt. Seine Frau hat sich das Endstück ihres Saris fest um den Kopf geschlungen, die Kinder lehnen schlafend an ihrem Schoß. Doch Durga Lals Auftritt im Kathak reißt sie alle wieder hoch!

Er trägt ein cremefarbenes, mit Goldborte abgesetztes, knielanges Wickelgewand, das um die Taille mit einem Seidentuch zusammengehalten wird. Nach dem Gebet beginnt er mit den That und Amad, dekorativ-anmutigen Körperhaltungen, die ihn auf die feinen

Schwingungen seines Tanzes einstimmen sollen. Der Trommler begleitet Durga Lal dazu im Tintal, dem Sechzehner-Zyklus. Die Sarangi, das im Kathak gängige Streichinstrument, spielt immer wieder dieselbe sehnsüchtig lockende Melodie. Deren monotone Gleichförmigkeit dient dem Tänzer als Orientierung im Zeitkreis. Zum langsamen Schlag der Tabla und den schrillen Klängen der Sarangi gleitet Durga Lals Hals jetzt geschmeidig von rechts nach links, Daumen und Zeigefinger der vor der Brust gehaltenen Hand berühren einander, die Augenbrauen heben und senken sich rhythmisch. Hier und da ein weicher Schritt, eine markante Bewegung oder abrupte Drehung. Dem folgt wieder ein direkter, vom Bewegungsfluß abgesetzter Blick, eine besonders eindrucksvolle Pose: der Tanz mündet erneut in den ersten Taktschlag eines neuen metrischen Zyklus ein, ein anderer That beginnt. Der Tänzer wirkt selbstbesessen, konzentriert, in sich gekehrt, und während er die eleganten Körperhaltungen des Kathak entfaltet, kommt eine verhaltene Sinnlichkeit zum Ausdruck.

Durga Lal hat sich schnell auf sein Publikum eingestimmt. Er beginnt jetzt mit der Darbietung etlicher Parans, virtuos ausgestalteter Todas, deren Silbensprache von dem Pakhavaj-Spieler intoniert wird. Die meisten der Parans hat er selbst komponiert: sie zeichnen sich durch komplizierte, rhythmische Überlagerungen und klare, gradlinige Bewegungsfolgen aus. „*Kitataka thun thun nati tata*", lauten die kräftigen Silben und der dazu ausgeführte Tanz strömt von Vitalität und sprühender Lebendigkeit. Noch nie habe ich solche atemberaubenden Chakkars gesehen! Er dreht sich auf einem Bein viermal blitzschnell um sich selbst, stampft gleich darauf wieder im Einklang oder Kontrapunkt zu dem gegebenen Zeitmaß in exakter Fußarbeit auf. Im nächsten Moment wirbelt er in einem weit ausladenden Kreis über die Bühne und kommt nach vierundfünfzig raumgreifenden Drehungen wieder auf den ersten Taktschlag an seinem Ausgangspunkt an. Der kurze Rock seines Kostüms fliegt dabei wie ein Teller um seine Hüften und erinnert an den Derwischtanz der Sufis. Fallen Metrum und Rhythmus am Ende eines Parans wieder zusammen, mündet die ekstatische Bewegung auf einen Schlag in Stille. Jetzt ist der Tänzer nur noch Atem, seine Brust hebt und senkt sich, ein selbstbewußtes Lächeln zuckt um seinen Mund. Doch seine flinken Füße wollen schon wieder den Rhythmus der Tabla aufgreifen und stampfen bald darauf erneut im regelmäßigen Ausgangstempo, synchron zu den Schlägen der Tabla, auf. In kurzer Zeit wird sich eine neue rhythmische Idee aus der Gleichförmigkeit des Zeitkreises lösen und im Tanz auf ihre wagemutige Erfüllung hinsteuern.

Durga Lal spielt mit unserem angeborenen Zeitempfinden. Im Hintergrund seines Tanzes wiederholt sich der Zeitkreis gleich dem unaufhaltsamen Ticken einer Uhr. Doch die rhythmischen Muster, die seine Füße erzeugen, sind wie der unregelmäßige Schlag eines von Leidenschaft erfüllten Herzens. Ein von Rohini choreographierter Tanz zum Thema Zeit wird auf dieser Bühne in Durga Lals Tanz lebendig. In ihrer eigenwilligen Choreographie hatte sie Zeit als flüchtigen Augenblick, als kontinuierlichen Fluß und als festgefügte Ordnung dargestellt. Zeit konnte ein Ventil der Inspiration sein oder uns auch zum Narren halten. Sie konnte vorüberfliegen, zur Skulptur gefrieren oder stillstehen. „Ist Zeit nun ein Mörder oder ein Freund?" hatten die Tänzerinnen der Nrityabharati am Ende des Stücks gefragt. „Weder das eine noch das andere", hatte ihnen die Tänzerin in der Mitte geantwortet. „Zeit IST!"

Wir erleben Zeit als meßbare Einheit und unterteilen ihren Fluß in Jahre, Monate, Tage und Stunden. Wir leben nach einem Kalender, feiern Geburtstage und haben Termine. Und manchmal, wenn wir innehalten, wenn wir „die Zeit zum Stillstand bringen", wird uns eine verschwommene Wahrnehmung von Ewigkeit zuteil. Aber was ist diese Grenzenlosigkeit eigentlich, die wir Ewigkeit nennen? Bedeutet sie für unseren begrenzten Verstand nicht, „ewig Zeit zu haben"?

Wenn Durga Lal inmitten seines Nritta-Tanzes für den Bruchteil einer Sekunde überraschend innehält oder unerwartet noch eine Sequenz einfügt, überkommen mich ganz wechselhafte Gefühle. Vor allem während seiner arhythmischen Fußarbeit empfinde ich Anspannung und einen fast schon körperlichen Schmerz. Etwas in mir zieht sich zusammen und löst sich erst wieder, sobald Metrum und Rhythmus im Endpunkt des Zeitkreises wieder zusammenfallen.

Der Tintal oder Sechzehner-Zyklus, den ich und die anderen Schülerinnen in der Nrityabharati üben, ist in seiner komplexen Auslegung in Durga Lals Tanz kaum wiederzuerkennen. Mein Nachbar hält das Taktmaß durch ein Auszählen seiner Finger ein. Er wirkt vom Rhythmus aufgesogen. Jedesmal, wenn Durga Lals gewagte Parans und dreimalig wiederholte, kurze Tihais zu einem Ende kommen, geht ein aufgeregtes Raunen durchs Publikum: „Shabas!" „Bravo!" hallt es von allen Seiten. Die individuelle Entfaltung des Tänzers hat sich im Einklang mit dem harmonischen Ganzen erfüllt. Der Zeitkreis ist geschlossen, bis ihm eine noch schnellere und dramatischere Bewegung entspringt, die auf ein ständig steigendes Crescendo hinarbeitet.

Ich muß unwillkürlich an die Vorstellung von Geburt und Wiedergeburt denken, an den Wechsel der Jahreszeiten und die immer wiederkehrenden Abschnitte innerhalb eines Menschenlebens. Der erste Taktschlag ist zweifellos der ausschlaggebende, die „Summe" aller tänzerischen Bewegung in einem rhythmischen Zyklus, denn zum einen ist er Ausgangspunkt für die neue, ungeformte Bewegung, zum anderen auch deren späterer End- und Höhepunkt. Ich stelle mir den ersten Taktschlag als ein Tor vor, durch dessen Pforten ich die Welt einer klassischen Komposition betrete und, nachdem sich mein Tanz entfaltet und erfüllt hat, auch wieder verlasse.

Um mich herum tobt jetzt bei den Zuschauern eine Woge ständig anwachsender Begeisterung. Alle nehmen an Durga Lals rhythmischen Variationen und spontan eingeflochtenen Improvisationen teil. In seiner Vorführung des Kathak entfaltet sich das ganze Spektrum einer klassischen Tradition, eine Vielfalt und getragene Struktur, die dem Rhythmus eine ästhetische Dimension verleiht.

Höhepunkt bildet die rhythmische Improvisation „Jugalbandi", die unter Meistern der Tanzkunst gang und gäbe ist. Im Jugalbandi variieren Tänzer und Tabla-Spieler den Grundrhythmus und spornen sich gegenseitig zu schnellen rhythmischen Improvisationen an. Durga Lal improvisiert, der Tabla-Spieler antwortet, wiederholt denselben Rhythmus auf der Tabla und ahmt dabei sogar die verschiedenen Laute der Fußglocken nach. Der immer kürzer werdende Dialog zwischen Tänzer und Trommler gleicht einem Frage- und Antwortspiel und vermittelt die spontane Sprache des Rhythmus. Gegen Ende des Jugalbandi reduzieren sich die Phrasen bis auf nur wenige

Taktschläge, Trommler und Tänzer ergänzen und mischen schließlich ihre Laute, bis sie in einem rasanten Schlußstück zusammenfließen und ihre Improvisation gemeinsam mit einem Tihai, einer dreimalig wiederholten Sequenz, beschließen.

„Wie war Durga Lal?" fragt Rohini. Begeistert schildere ich ihr den Verlauf der gestrigen Tanzdarbietung und frage, warum Durga Lal seine Fußarbeit fast nur mit dem rechten Fuß ausführt.

„Durga Lal ist Vertreter der Jaipur-Tradition (Gharana)", erklärt sie, „einer Kathakschule, die in Rajasthan beheimatet ist. Dort war das früher so Brauch. Die meisten Tänzer dieser Stilrichtung sind auch als ausgezeichnete Sänger, Tabla- und Pakhavaj-Spieler bekannt. Die Jaipur Gharana zeichnet sich in erster Linie durch ihre schnelle Fußarbeit und die Betonung rein rhythmischer Intrikation aus. Der Jaipur-Stil des Kathak wirkt deshalb weniger elegant und gefühlvoll als die Stilrichtung der von den Muslimfürsten unterstützten Lucknow-Schule."

Mit einem Blick auf die Fotografie Bindadin Maharajs fährt sie fort: „Durga Lals Lehrer, Sunder Prasad, ist schon als Kind von seinem Vater Chuni Lal und seinem Bruder Jai Lal im Kathak der Jaipur-Schule unterwiesen worden. Doch in jungen Jahren wurde Sunder Prasad auch ein Schüler des großen Bindadin Maharaj in Lucknow. Auch Durga Lal hat Elemente beider Gharanas in seinem Stil des Kathak vereint. Die frühsten Anfänge der Jaipur-Gharana führen auf einen Tänzer namens Bhanuji zurück, einen Anhänger Shivas, der den shaivistischen Tanz von einem Heiligen, einem Rishi, lernte. Auch in Durga Lals Tanz kommt eine besonders kraftvolle Qualität in der Bewegung zum Vorschein, die im Tanzvokabular mit Tandava bezeichnet wird. Sinnbild dieses „männlich" energischen Tandava-Tanzes ist der unbändige Tanz Shivas. In Ergänzung dazu ist Krishnas Lasya-Tanz eher feminin, fließend und überaus graziös. Beide Varianten werden im Kathak aber von Männern und Frauen gleichermaßen getanzt."

„Rohini", frage ich, „was ist eigentlich Zeit?"

„In Indien gibt es eine ganze Lehre über den Rhythmus", erklärt Rohini. „Sie wird 'Talprana' oder 'die Lebenselemente des Tal' genannt. Zugrunde liegt ihr der Begriff von Kala. Kala ist ein gegebenes, unveränderbares Kontinuum, dem der Mensch mit seiner Geburt ausgesetzt ist. Ohne Anfang und ohne Ende liegt Kala als Ursubstanz dem Rhythmus zugrunde und ist an sich unbeeinflußbar und mit dem menschlichen Verstand unerfaßbar. In den Moment vertieft, ist Kala gleichzeitig in der Ewigkeit verhaftet. Was sich dem Menschen offenbart, ist lediglich der Fluß der Zeit, im Tanz 'Laya' genannt. Laya gibt das Grund-oder Ausgangstempo an, das man für einen bestimmten Tanz auswählt. Neben der Zeit als meßbarer Einheit hat der Mensch noch ein subjektives Zeitempfinden, das Minuten zu Stunden werden läßt und Stunden zu Minuten. Das ist die von unserer Psyche gefärbte Zeit, die sich an den Geschehnissen des Lebens orientiert."

Ich versuche, mir Kala – die „übergeordnete Zeit" – zu verdeutlichen, und mache mir folgendes Bild: Ich sehe von hoch oben auf die Erde herab. Vielleicht schwebe ich auf einem Wolkenkissen oder sitze in dem abgeschlossenen Raum eines Flugzeugs. Tief unter mir breitet sich ein endloser Ozean aus. Auf seinen türkisfarbenen Wassern bewegt sich pfeilförmig ein Schiff. Mit einem Blick sehe ich die Fahrrinne, die das Schiff auf dem Wasser gezogen hat, die Stelle, auf der es gerade schwimmt, und den Ort, auf den es sich zubewegt. Vergangenes, Gegenwärtiges und Zukünftiges verschmelzen zu einer dicht gestaffelten, unmittelbaren Wahrnehmung, die mir durch mein Unbeteiligtsein an der Situation und durch meinen übergeordneten Blickwinkel auf das Geschehen möglich wird. Halte ich mir dieses Bild für längere Zeit deutlich vor Augen, spüre ich nur noch die Bewegung selbst, eine Bewegung, die nur die Gegenwart kennt, die sich von Moment zu Moment fortsetzt. „Ewigkeit", will sie mir zuflüstern, „schwingt in jedem Atemzug mit, in jedem bewußt gelebten Moment".

„Rhythmus als natürliches Phänomen und Tal, die bewußte, künstlerische Vorführung von Rhythmus als ästhetisches Gebilde im Zeitkreis", fährt Rohini fort, „sie beide sind ein Ausdruck von Kala, diesem Kontinuum von Zeit und Raum. Das zu hoher Kunstfertigkeit entwickelte Konzept des Tal oder Zeitkreises vereint in sich die ewige, unbeeinflußbare Zeit und die meßbare, durchstrukturierte Zeiteinheit. Die einzelnen Taktschläge eines Zeitkreis, die Matras, bilden das regelmäßige und meßbare Taktmaß, die durchstrukturierte Zeiteinheit. Der gleichförmige, immer wiederkehrende Fluß des Zeitkreises, der wie ein Urgrund für Rhythmus und Bewegung ist, enthält das zeitlose Element. Symbolhaft kommt es in der Bedeutung des ersten und wichtigsten Taktschlags zum Tragen, einem Sammelpunkt, in dessen Gegenwart sich Anfang und Ende, Werdendes und Vergehendes begegnen."

Rohini trägt den Sechzehner-Zyklus in mein Lehrbuch ein. Neben dem ersten Taktschlag ist noch Khali, das Zeichen für eine Pause, von Bedeutung. Khali, von Tabla und Sarangi in hohen Tonfrequenzen hervorgehoben, signalisiert die Hälfte eines Zeitkreises. Das so markierte Pausezeichen hilft dem Tänzer, die verschiedenen rhythmischen Phrasen des Trommlers zu entziffern und seinen Tanz im Einklang mit der Musik zu beenden.

„Übe dich im Tintal drei Jahre lang", sagt Rohini. „Danach kannst du den Japtal, den Zehnertakt, den Dadra oder Sechsertakt und den schwierigen Rupak, den Siebenertakt, spielerisch erlernen." Dann fügt sie noch hinzu: „Nritta, die reine Kathaktechnik, hast du schon ganz gut begriffen. Von nun an werde ich dich auch im erzählenden Nritya-Tanz unterweisen."

Mit den Göttern sprechen:
Gebete – „Vandana" – im Kathak

Von alters her war es im Kathak Brauch, den Tanz mit der Ganesh Vandana, der Huldigung an den glücksbringenden elefantenköpfigen Gott Ganesha, zu beginnen. Der wohlbeleibte Ganesha, Herr über die Trommel, räumt Hindernisse aus dem Weg und trägt zum Gelingen sämtlicher Unternehmungen bei. Der Ganesh Vandana, in dem Worte zu Ehren Ganeshas mit rhythmischen Tanzsilben verbunden werden, ist zugleich eine der ältesten Kompositionen im Kathak. Eine Beschreibung dieses traditionellen Gebets findet sich in Kapitel 2, Seite 51 - 53. Obwohl heutige Kathaktänzer die Tradition der Ganesh Vandana aufrechterhalten, werden auch Gebete an andere Götter, wie zu dem flötenspielenden Liebesgott Krishna oder zu der sanften Göttin der Künste, Sarasvati (Kapitel 6, Seite 125), dargebracht.

Das folgende Gebet huldigt fünf Göttern des Hindu-Pantheons. Die kurzen Zeilen werden auf Hindi ohne die rhythmische Begleitung der Tabla gesungen. Die im Tanz dazu ausgeführten mystischen Handhaltungen und die dazugehörigen Körperstellungen machen uns mit den Symbolen hinduistischer Götter vertraut: mit Parvati als Shivas Shakti, wie sie sich einen Stirnschmuck anlegt, mit Ganeshas weitgeschwungenen Elefantenohren und mit seinem Rüssel, mit Brahma, dem Schöpfer, wie er in den heiligen Schriften liest, mit Vishnu, der das Muschelhorn und die göttliche Wurfscheibe in seinen Händen hält, und zuletzt mit dem den Dreizack anhebenden Shiva. Die aussageträchtigen Gebärden werden, ohne den Bewegungsfluß zu unterbrechen, mit vielsagenden Blicken dargebracht. Da eine indische Gottheit unter mehreren Namen angerufen wird, ist Parvati in dem folgenden Gebet mit Bhavani und Shiva mit Mahesh gemeint.

Ein Gebet an fünf tanzende Gottheiten …

Immer   Parvati   mit ihrem Stirnschmuck

zur Rechten   mit riesigen Ohren   und Rüssel Ganesh

Immer Parvati zur Rechten
Und vor uns bleibt Ganesh
Fünf Götter beschützen mich
Brahma, Vishnu, Mahesh

... des Hindu-Pantheons

Fünf Götter	beschützen mich	Brahma
Vishnu	(Vishnu)	und Mahesh

sadā Bhavāni dahine
aur sanmukha rahe Gaṇēsh
pāncho deva raksha kare
Brahmā Vishnu Mahēsh

Mit Gegensätzen spielen

Kapitel 5

Tanz des Schleiers

Radhas Blick schweift rastlos umher. Sie lauscht dem Rauschen und Flüstern des Windes, dem verheißungsvollen Knistern der Zweige. Sie beobachtet, wie königliche Blütenkronen auf dem Geäst trunken hin und her schaukeln und sich unverhohlen der goldenen Sonnenflut öffnen. Radha bittet den mächtigen Wind, ein Luftzug möge Krishnas Flötenspiel zu ihr hinübertragen und das Herannahen ihres Geliebten ankündigen. Manchmal, wenn sie voller Unruhe und unter einem Vorwand die Wege ihres Dorfes abschreitet, entdeckt sie Abdrücke seiner Fußspuren und weiß, er hat die Nacht bei einer anderen verbracht.

Sobald der verlockende Ruf von Krishnas Flöte ertönt, trägt sein Echo ihr eigenes Ich mit sich davon. Radha ist auf einmal wie verwandelt. Hat sie eben noch Butter gestampft, Kupferkrüge blank gescheuert oder das abendliche Feuer entfacht, sie läßt jetzt alles stehen und liegen. Ein einziger Gedanke ergreift von ihr Besitz: mit Krishna an den silbrig schimmernden Ufern des Jammuna-Flusses zu tanzen, noch einmal dem ewigen Geliebten ihrer Seele zu begegnen und sich ihm hinzugeben. Und um zu Krishna zu gelangen, scheut sie keine Mühe oder Gefahr. Hängt der Vollmond wie ein blanker Lampion am Himmel und taucht die Erde in ein milchig silberweißes Licht, streift Radha sich ein ebenso weißes Gewand über. Sie legt einen weißen Perlenschmuck an, tupft das Bindi mit hautfarbener Sandelholzpaste auf die Stirn und bindet einen duftenden Kranz weißer Jasminblüten in ihr Haar. Als wäre sie das bleiche Mondlicht selbst, eilt sie ungesehen durch die erhellte Nacht zu ihrem Geliebten hin.

Ist die Nacht aber pechschwarz, tief, von düsteren, unheimlichen Schatten durchzogen, fürchtet sie weder die scharfen Dornenbüschel noch die giftige Schlange. Sie entfernt ihre beiden silbernen Fußkettchen, damit deren fröhliches Getingel niemand im Dorf auf ihr heimliches Entschwinden aufmerksam macht und huscht lautlos von dannen.

Ganz gleich, unter welchen Umständen sich Radha auch davonstiehlt, sie legt vorher eilig ihr Festkleid an. Nach dem Bad bestreicht sie ihren Körper mit wohlriechender Sandelholzpaste und windet ihr nasses Haar zu einem langen, schweren Zopf. Zu manchem heimlichen Treffen wählt sie die mit glitzernden Edelsteinen durchsetzten Kundan-Ohrringe und für ihren Hals einen funkelnden Kundan-Schmuck. Sie steckt den goldenen Nasenring durch ihren feinen Nasenflügel, befestigt das Stirnornament längs des Scheitels und umrandet die Augen mit schwarzem, im Mondlicht gekühlten Kajal. Ihre bunten, gläsernen Armreifen klirren, als sie als letztes ihren Schleier um sich legt und, ihr freudig erregtes Gesicht verbergend, aus der Hütte tritt.

Hier beginnt der Ghunghat, eine vielgetanzte Episode im Kathak. Im Ghunghat geht Radha durchs Dorf, um Krishna zu begrüßen. Vorsichtig hebt sie die Enden ihres Schleiers an, vergewissert sich, ob es wirklich der lang erwartete Krishna ist, den sie eben in der Ferne sah. Sie schreitet weiter. Beim erneuten Anheben des Schleiers kann sie den Blick nur schwer von ihrem Geliebten abwenden. Von Verlangen und Sehnsucht überwältigt, senkt sie den Kopf, doch bevor das Tuch wieder ihre Sicht verdeckt, hebt sie noch einmal ihren gebannten Blick. Krishna, von den anderen Gopis, den Milchmägden, umringt, hat Radha noch nicht bemerkt. Sie ist jetzt ganz in seiner Nähe, wirft den Schleier über die Schultern und schaut Krishna in aller Offenheit an. Da wendet sich der Gott zu ihr um und sieht ihr tief in die Augen. In ihrem Begehren entblößt, zieht sie schnell wieder den Schleier vors Gesicht und wendet sich jäh von ihm ab.

„Thai", mein Fuß hämmert auf den singenden Stein. Die Arme, weit ausgestreckt, schleudern bei jeder Drehung die schwer aufgeladene Luft mit sich herum. Der Tanz reißt mich in einen Sog, dessen gebieterisches Wirbeln mich zu meiner Mitte hinzieht. Ich gleiche einer kreisenden Spule, die sich in eine aufrechte Gerade dreht.

„Sat, ath, nau", zählt Rohini.

„Neun", zählt meine innere Stimme mit, das Blut pocht in meinen Fingerspitzen. Nicht anfangen zu denken, sonst kriecht wieder ein Gedanke in Arme und Beine und unterbricht den Fluß ihres Zusammenspiels. Ich überlasse mich ganz dem Tanz, die Fußarbeit wechselt in den gleichförmigen Rhythmus.

„Drige zangira zange zange taka tirrrraka", im nächsten der Todas schlagen meine Hände die Zimbeln, ein Becken, die Damaru. Dazu schellen, dröhnen, rattern, zittern und hüpfen die Ghungrus und ahmen die verschiedenen Laute der Trommeln nach.

„Gat", Rohinis tiefe, melodische Stimme wechselt das Tempo und wiederholt die Silben „dha thai thai tat ta thai thai tat." Ich mache einige Schritte vor und zurück, setze dabei die Füße nach dem Muster eines Blattstiels auf, so daß jeder Schritt in seiner geometrischen Anordnung den ebenmäßigen, längs des Scheitels angesiedelten Blättern gleicht. Nun der Palta, die ausladende Seitwärtsdrehung, dem folgt der Gait. Im Gait, der besonderen Gangart im Gat, balanciere ich zuerst einen Wasserkrug auf dem Kopf, ziehe dann als stolzer Krieger ein schneidendes Schwert aus der Klinge und schieße als Rama, Held des Ramayana-Epos, einen unfehlbaren Pfeil ab. In der letzten der kurz aneinandergereihten Episoden schreite ich als Radha in ihrem unverkennbaren Gait.

„Du mußt das weiche, fließende Gewebe des Schleiers zwischen deinen Fingerspitzen spüren", sagt Rohini, „der imaginäre Schleier ist genauso wirklich wie die Gesten der Hände, die ihn halten."

Die Welt hinter einem Schleier zu erspähen, durch bunt tanzende Muster hindurch, die sich den Gesichtern der Menschen aufdrängen, ist mir unvorstellbar. Das hauchdünne, unwirklich anmutende Tuch flattert für mich mit dem Farbenreichtum ungelebter Gefühle. Als Sari der Hindus bedeckt es zuerst den Körper bis hinab zu den Knöcheln, legt sich dann gerafft über die Brüste und verhängt schließlich in willig anschmiegsamer Form das Haupt. Als Dupatta der in weite, unförmige Gewänder gekleideten Muslimfrauen wird es ebenfalls um Kopf und Stirn geschlungen und bedeckt manchmal das ganze Gesicht. Wie muß es wohl dem im Kindesalter verheirateten Mädchen ergehen, wenn es klopfenden Herzens diesen Schleier beiseite zieht, um einen scheuen Blick auf ihren zukünftigen Mann zu werfen, einen Fremden, mit dem sie bis zum Eintritt ihrer fraulichen Reife kein Wort wechseln wird? Oder der Neuvermählten an ihrem Hochzeitstag, wenn Verwandte und Freunde ihres Mannes den Schleier anheben, um einen Blick auf ihr Gesicht zu erheischen?

Für Rohini symbolisiert das verschleierte Haupt einer heutigen Kathak-Tänzerin immer noch ihre historische Rolle als Hoftänzerin am Darbar, dem Moghulhof. Dort kokettierte die Bajadere mit der Halbdurchsichtigkeit des kunstvoll gehaltenen Tuchs als Requisit ihres verführerischen Tanzes. Doch betont Rohini, daß die Kurtisanen ausgezeichnete Tänzerinnen waren, ohne deren Kunst der Kathaktanz die Geschichte nicht überdauert hätte.

„Aber Hindus tragen doch auch den Schleier", frage ich.

„Im Umgang mit Älteren hält die verheiratete Frau ihr Haupt mit einem Tuch bedeckt", erklärt Rohini, „und in Nordindien wurde der Schleier zum Schutz gegen den Frauenraub eingeführt."

„Und im Ghunghat?"

„Im Ghunghat", antwortet sie, „wird der Gebrauch des Schleiers romantisiert und ist mit seinem Hauch verhaltener Erotik ein Emblem der Weiblichkeit. Das Spiel mit seinem weich fließenden Gewebe eignet sich vortrefflich zur Übertragung verborgener Gefühle, ungewollter Blicke und verstohlener Einladungen. Aber es gibt im Gat bestimmte charakteristische Gesten der Hoftänzerinnen, wie das Verschränken der Arme hinter dem Kopf oder das Anlegen des Handrückens an die Wange, die ich meide. Und ich tanze nie mit dem wirklichen Schleier auf dem Kopf. – Warum auch", fügt sie hinzu, „wo ich ihn doch ebenso durch das Spiel meiner Hände andeuten kann."

Ich kann mich nur schwer in Radha und in das Spiel mit ihrem Schleier hineinversetzen. Dagegen fällt es mir leichter, Krishnas Bambusflöte in den Händen zu halten.

„Weil du aus Erfahrung weißt, wie sich eine Flöte zwischen den Fingern anfühlt", erklärt Rohini. „Gats sind nämlich äußerst feine, der Pantomime ähnliche Bewegungsstudien. Als Kurzformen der indischen Seinsweise stellen sie eine Reihe flüchtiger und stark vereinfachter Episoden dar. Die dabei verwandten Körperhaltungen zeigen einheitliche, den Indern eingegebene Verhaltensweisen, und die Handhabung des Schleiers ist dir eben fremd."

Sie bedeutet mir, aufzustehen und ihr zuzuschauen. „Lerne die folgende Bewegungsstudie", sagt sie und wendet sich nach rechts. Sie atmet merklich ein und zieht ihren aufrecht gehaltenen Körper in die Höhe. Ihre angewinkelten Arme sind in einer weit ausladenden Position, der rechte Arm deutet zum Himmel, der Linke zur Erde hin. Ihr Blick ist gerade nach vorn gerichtet, ihre stark betonte Haltung nach außen gekehrt. Beim nächsten Schritt dreht sie sich nach links und atmet fast unmerklich aus. Sie beugt die Knie und sinkt ein wenig in die weiche Kurve ihrer Hüfte, ihre Augen sehen schräg nach unten, und ihr Kopf gleitet seitlich über die Schultern. Die Arme – in derselben Grundhaltung – sind näher zum Körper gezogen, ihre Linien jetzt weich und fließend.

„Meine rechte Körperhälfte", erklärt sie, „hat in diesem Gait eine mit dem Männlichen verbundene Bewegungsqualität angenommen, meine linke eine mit dem Weiblichen. Das Ergebnis dieser Verschmelzung ist mehr als die Summe augenscheinlicher Verschiedenheit und stellt im Tanz ein besonderes Gefühl von Einheit her."

Ich stelle mich hinter sie und ahme sie nach. Die einfachen, über den Boden gleitenden Schritte und die unveränderte Armhaltung erlauben es mir, mich auf den sich hebenden und senkenden Atem zu konzentrieren und meinen Körper gemäß der Atembewegung auszudehnen und zurückzunehmen. Ich erlebe diese Bewegung als harmonisch und wenig forciert.

„Und nun", leitet sie mich weiter an, „zieh die Arme einfach beim Ausatmen diagonal nach unten vors Gesicht, als sei es der Schleier. Ja so, noch etwas weiter zur Seite und den Kopf noch etwas schräger. Gut", sie scheint mit mir zufrieden zu sein und bemerkt zuversichtlich: „Irgendwann wirst du einmal als Radha unter dem Schleier hervorschauen."

Rohinis hermaphroditischer Tanz erinnert an die Ikonographien hinduistischer Gottheiten und ihrer weiblichen Gefährtinnen. Vishnu, der Erhalter, hat Lakshmi, die Göttin des Glücks, zur Seite und Brahma, der Weltenschöpfer, wird mit Sarasvati, der sanften Göttin der Kunst und des Lernens, verbunden. Der erotische Liebesgott Krishna und seine Geliebte Radha, die sich in körperlicher Liebe vereinen, besitzen als Ausdruck ihrer wiedergewonnen, verlorenen Ganzheit nur eine einzige Seele. Shiva, Urtänzer und Urasket zugleich und zorniger Wächter über das reinigende Feuer der Zerstörung, wird häufig mit einem zweigeteilten Gesicht und Körper dargestellt, dessen „andere" Hälfte Parvati, seiner weiblichen Shakti, gehört. Parvati, Verkörperung der Großen Göttin, ist in ihrer Essenz ein Sinnbild der weiblichen Energie jenseits von Form. Es ist Parvati, mit der der Gott in tausendjähriger Umarmung verweilt und mit der zusammen er in den androgynen, ungeteilten Urzustand der Schöpfung zurückkehrt.

Rohinis zweiter Guru, der 1978 verstorbene Kathak-Meister Lachhu Maharaj, verfaßte ein Gedicht, das Shiva und Parvati in abwechselnden Zeilen umschreibt. Rohini gab den ungewöhnlichen Vers in Form eines Tanzes an mich weiter, dessen Bewegungsqualität die Verschmelzung des mächtigen Gottes mit der Großen Göttin zum Ausdruck bringt und in der Gegenüberstellung Shivas und Parvatis mal grotesk und kraftvoll und dann wieder weich und lyrisch ist:

Als Shiva nehme ich einige Schritte nach rechts und deute den Sichelmond in seinem Haar an, als Parvati schreite ich nach links und zeige ihren mit Sindhur, mit rotem Pulver, durchzogenen Scheitel. Seine blauverfärbte Kehle zeigt Spuren von Gift, ihre Worte sind Nektar für die Seele. Er trägt die mörderische Kobra um seinen Hals geschlungen, sie hingegen einen duftenden Blütenkranz. Von seiner Hand ertönt der Trommelschlag von der Damaru, an ihren Handgelenken klirren lauter Armreifen. Sein Körper ist mit Vibhuti, heiliger Asche, beschmiert, sie hat sich mit kostbaren Juwelen geschmückt. Um seine Hüften hat er ein Tigerfell gelegt, sie trägt ein gebundenes, seidenes Tuch. Shivas Tanz wirkt grotesk und furchterregend und ist seiner Form nach Tandava. Parvatis Tanz wirkt graziös und feminin und ist seiner Form nach Lasya. Am Ende des Tanzes verschmelzen die Attribute Shivas und seiner Shakti zu einer einzigen, körperlich jedoch zweigeteilten Pose: die rechte, segenspendende Hand des Gottes ist dem Betrachter in Pataka-Hasta zugewandt, die linke Körperhälfte, mit einer endlos fließenden, weichen Armhaltung, ist leicht in die weibliche, runde Hüftkurve Parvatis eingesunken.

Zusammen ergeben die Zeilen eine eigenartige Mischung aus körperlicher Spannung und Lösung, aus Ein- und Ausatmung und aus energischer Veräußerlichung und sanfter Innerlichkeit. Shivas Embleme, wie das Tigerfell, der Sichelmond, die Kobra oder seine blauverfärbte Kehle haben ihren Ursprung in den alten Götter- und Heldensagen. Diesen Geschichten, die von zahlreichen Wundern, Eiden, Verwünschungen und Wiedergeburten in entfernten Tier-, Menschen- und Götterreichen berichten, wohnt oftmals eine verschlüsselte Symbolik inne.

Die Geschichte des „Nilakantha", des Blaukehligen, erklärt, warum der mächtige Shiva mit einer blau verfärbten Kehle dargestellt wird. Der Vorfall trug sich folgendermaßen zu:

Lange vor Beginn unseres Zeitalters verärgerte Indra, König der Götter, den wandernden Asketen Durvasa, der daraufhin der Götterwelt folgenden Fluch auferlegte: all die Kraft und andauernde Freude in den himmlischen Gefilden sollte von nun an dahinschwinden. Und so geschah es! Die Götter, mit Indra an der Spitze, wurden von Tag zu Tag lustloser und versanken in große Trübsal. Die Dämonenscharen drohten sogar die Oberhand über sie zu gewinnen. In ihrer Verzweiflung suchten sie Gott Vishnu, den gütigen Welterhalter auf, der auf den formlosen Wassern des kosmischen Milchozeans auf einer tausendköpfigen Schlangencouch ruht. Vishnu erbarmte sich ihrer mißlichen Lage und unterbreitete ihnen den folgenden, listigen Plan: Tränkt den Milchozean mit seltenen Kräutern und enterdet den gigantischen Berg Mandara. Nehmt Mandara als Schleuder und schleudert damit die auf dem Grunde des Ozeans verborgenen Schätze empor. Die Schlange Vasuki wird euch als Seil dienen, und ich selbst werde in Form einer Schildkröte zum Boden des Meeres hinabsteigen, so daß der Berg Mandara beim Schleudern auf meinem ge-

panzerten Rücken Halt findet. So lange sollt ihr in den tosenden Wassern rühren, bis schließlich Amrita, der Nektar der Unsterblichkeit, aus ihren Tiefen auftaucht. Sichert euch die Hilfe der Dämonen zu und zwar mit dem scheinheiligen Versprechen, den Nektar der Unsterblichkeit mit ihnen zu teilen.

Vereint begannen nun die Götter und die Dämonen mit der Arbeit. Mächtige Fische und Seeungeheuer, gefolgt von unsäglichen Schätzen und einem tödlichen Gift tauchten nacheinander aus den tobenden Fluten auf. Zwar verteilten die Anwesenden die Schätze unter sich, aber keiner wollte sich des fatalen Gifts annehmen, das die ganze Erde zerstören könnte. Schließlich erbarmte sich Shiva des düsteren Schicksals der Welt und leerte den Giftbecher. Fortan hält er das Gift sicher in seiner Kehle gefangen, die sich blau verfärbt hat und ihm den Namen Nilakantha, Blaukehliger, eintrug. Als zuletzt der göttliche Heiler Dhanvatari mit dem Nektar des ewigen Lebens aus den Wassern emporstieg, lenkten die Götter die Dämonen mit Hilfe einer bezaubernden Nymphe ab und verteilten den kostbaren Nektar schnell unter sich. So behielten sie die Oberhand über die Dämonen und gewannen ihre lang andauernde Jugend zurück. Shiva jedoch, als höchster Yogi, besitzt die Fähigkeit, das in seiner Kehle gefangene Gift durch innere Transformation in den Nektar der Unsterblichkeit umzuwandeln.

Rohinis Schwerpunkt im Unterricht hat sich in meinem zweiten Ausbildungsjahr verschoben. Wir widmen uns zunehmend der Gebärdensprache, den klassischen Handhaltungen und ihren entsprechenden Körperstellungen.

„Es gibt zwei grundlegend verschiedene Handhaltungen", erklärt sie: „Pataka, in der der Daumen angewinkelt und die anderen Finger gestreckt sind, und Mushti, die geschlossene Faust. In Pataka liegt das Herz der Hand entblößt, in Mushti liegt es im Verborgenen. Mushti, Zeichen geballter, physischer Kraft, kann für den Mut eines tapferen Kriegers stehen. Mit erhobenem Daumen wird Mushti zu Shikhara und kann den Gipfel eines Berges, den Gott der Liebe oder das Phallussymbol Shivas andeuten. Mit angewinkeltem Zeigefinger wird Mushti zu Kapittha, zu der mystischen Handstellung der

Glücksgöttin Lakshmi und kann unter anderem das Melken einer Kuh oder das Halten des Schleiers versinnbildlichen. Aber Pataka", fährt sie fort, „ist ein Symbol von geistig-emotioneller Aussagekraft, das – unmittelbar empfunden – ein Gefühl von Schutz und Segen ausstrahlt und für göttliche Verheißungen steht. Die Pataka-Haltung wird mit der Erfüllung von Wünschen, der Vernichtung allen Übels und dem Verlöschen von Furcht verbunden. Zum Körper weisend bedeutet sie 'ich', vom Körper wegweisend 'nein', und zu anderen hindeutend 'du'. Pataka kann aber so vielfältige Bedeutungen annehmen wie zum Beispiel: Wolken, Regen, Entfernung, ein Weg, ein Ozean, ein Eid, ein Buch, ein Blitz, etwas emporheben, durchtrennen oder liebkosen und Gott Shiva, wie er auf geisterhaften Friedhöfen tanzend seinen Körper mit heiliger Asche beschmiert."

Pataka und Mushti gehören zu einem Alphabet von zweiunddreißig, mit einer Hand angedeuteten Mudras, den Asamyukta Hastas, deren Abfolge ich in einem übergangslosen Bewegungsspiel der Hände nachvollziehe. Da ist Sarpashirsha, der aufgestellte Kopf der Kobra, Mayura, die Krone des Pfaus, Suchi, das Nadelöhr, und Bhramara, die Biene. Neben den Asamyukta Hastas gibt es noch dreiundzwanzig Samyukta Hastas, durch die Handhaltung beider Hände geformte Zeichen, wie zum Beispiel Shankha, das Muschelhorn, Matsya, der Fisch, Utsanga, die Umarmung, Chakra, das Rad, und Shakata, der Dämon. Dieser zweitausend Jahre alte Gestenkodex beruht auf einer Nachahmung der Natur und auf der Deutung und Übertragung ihrer Stimmungen und Symbole auf menschliche Eigenschaften und Verhaltensweisen.

Im Kathak ist es mehr der ganze Körper der Tänzerin, der einer Handgeste zu ihrer vollen Ausdruckskraft verhilft. Deute ich Chandrakala, die Mondsichel, durch meinen weit gespreizten Daumen und Zeigefinger an (die anderen Finger sind eingerollt), dann geht auch mein Körper in eine an die weiche Rundung des Mondes erinnernde Beuge: ich strecke mich von den Zehenspitzen meines seitlich aufgesetzten Fußes bis zu den Schultern und zu der Rundung des Armes hin, als wolle ich mit meinen Gliedern die Kontur der Mondsichel einfangen und harmonisch meinem Körper einverleiben.

Die Anwendung der Mudras oder Hastas wird in der Abhinaya

Darpana, dem Spiegel der Geste, einer Abhandlung über Dramaturgie und Tanz, ausführlich erörtert. Der Abhinaya Darpana ist eine spätere Ergänzung zum Natya Shastra, der ältesten und umfangreichsten Drama- und Tanzschrift der Welt. Ich bin erstaunt, wieviele Bewegungen, außer denen der Hände, noch in der Abhinaya Darpana aufgelistet werden: neun Bewegungen des Kopfes, acht Arten des Blicks, sechs Bewegungen der Augenbrauen und vier des Halses.

„Als Kathak-Tänzerin mußt du diese Bewegungen nicht alle auswendig lernen", versichert mir Rohini. „Sie gehören zur Theorie des Tanzes und sollen im Kathak unwillkürlich entstehen. Unsere Kunst der inhaltlichen Darstellung mit suggestiven Gesten und nur wenig stilisierten Händen ist gleich der Kathaktechnik auf eine einzigartige Weise expressiv und spontan. Nimm zum Beispiel die verschiedenen Arten des Blicks. Eine Gottheit verlöre ihre Erhabenheit, würde sie unentwegt mit den Augenlidern blinken. Folglich hält die Tänzerin ihre Augen bei der Darstellung einer Gottheit ruhig und gerade. Ein Meditierender oder jemand, der sich dem Willen eines anderen unterwirft, oder ein Lügner werden mit gesenkten Augen dargestellt, während ein Zornesausbruch im Tanz mit rollenden, weit aufgerissenen Augen gezeigt wird."

„Und warum blickt Lakshmi aus den Augenwinkeln?" frage ich.

„Weil sie als Glücksgöttin auch die tückische Göttin des Reichtums ist", entgegnet Rohini. Mit einer Geste des Bedauerns fügt sie noch hinzu: „Ich sollte dir die Augenübungen zeigen, die deinen Blick trainieren. Wir sind es leider nicht mehr gewohnt, in die Ferne zu schauen. Um uns herum erheben sich riesige Städte ohne sichtbaren Horizont. Die Massage des Augapfels wird dir gut tun."

Ich führe die Augenübungen regelmäßig aus und lege danach meine warmgeriebenen Handflächen über die entspannten Lider. Dann weite ich die Öffnung zwischen den Brauen, wo sich das Stirnchakra (Ajna), das sogenannte Dritte Auge, befindet.

„Enge nie die Stirn oder den Raum zwischen den Augenbrauen durch ein Zusammenziehen der Haut ein", hat Rohini eindringlich gewarnt, „dort, zwischen den Augen, ist der Sitz unserer wahren Erkenntnis und höheren Eingebung."

Durch die Gestensprache und durch die neuen Inhalte ist der Tanz für mich vielgestaltiger und fesselnder geworden. Meine Füße haben gelernt, sich besser auf den Rhythmus einzuspielen, und mein Körper ist sich seiner selbst bewußter geworden. Ich muß mich nicht mehr erschöpfen, um ihn richtig zu spüren, und habe eine bessere Haltung und größeres Selbstvertrauen gewonnen.

✳✳✳

Rohinis tänzerische Ausgestaltung eines Sanskritverses eröffnet mir einen neuen Zugang zu der vom Hinduismus geprägten Ideenwelt des indischen Ausdruckstanzes. In Sanskrit bewandert, hat sie den Vers selbst herausgesucht und tänzerisch umgesetzt.

Es ist die tragische Geschichte einer Biene, die die untergehende Sonne nicht bemerkt und in dem Blütenkelch eines Lotos gefangen wird. Die Biene ist voller Zuversicht, daß die Nacht bald vergehen wird. „Dann wird ein neuer, vielversprechender Morgen anbrechen", denkt sie trunken von dem Nektar und dem schweren, berauschenden Duft. „Die Sonne wird aufgehen, der Lotos wird sich öffnen und ich werde frei sein." Doch in der Nacht kommt eine Horde Elefanten zum Fluß. In übermütigem Spiel entwurzeln und verschlingen sie den Lotos samt der in ihm eingeschlossenen Biene.

Rohinis Hand, in Brahmara Mudra gehalten, zeigt den schwirrenden Flug der Biene und öffnet sich zu einem Blütenkelch. Sie mimt, wie die Biene selbstverloren von dem Nektar kostet, und deutet die untergehende Sonne und die aufkommende Abendstimmung an. Jedes der Bilder steht im Raum und wird zum Baustein einer lebendigen Kulisse. Ihr Körper, eben noch luftig und leicht, nimmt jetzt das massive Gewicht eines Elefanten an, der mit großen, aufgestellten Ohren trompetend seinen Rüssel schwingt und beliebig an umherstehenden Pflanzen, Gräsern und Büschen zerrt. Plötzlich bin ich draußen unter freiem Himmel, in einer üppig wuchernden Natur. Ich höre das Schreien der Vögel, das Rascheln des Dickichts und das Stampfen der Elefantenhorde. Rohinis Körper schlüpft vor meinen

Augen in andere Formen hinein und lebt sie von innen heraus. Ich kann spüren, wie sie dadurch die Gebundenheit an ihr eigenes Ich aufhebt. Sie dreht sich, als wolle sie den Kreislauf ihres eigenen Daseins beschließen, und wird zur Biene. Sie dreht sich zurück, und die Biene wird zum Elefanten: Das Opfer wird zu seinem Mörder, der Mörder zu seinem Opfer. Rohinis durchlässiger, grenzenloser Körper stellt sich spielerisch auf die Schwingungen anderer Lebewesen ein. Und ist nicht im Hinduismus das ganze Universum belebt? Sei es Stein, Ast, Luft, Planet oder Tier, sei es eine Wolke, die Sonne, ein Staubkorn oder die wandernde Seele der Toten.

Ihr atemberaubender Tanz vermittelt mir zum ersten Mal die Grenzenlosigkeit meines Daseins, ich spüre eine tiefe Verbundenheit mit den sich gegenseitig durchdringenden Formen der Schöpfung. Ich bin in einer Gesellschaft aufgewachsen, die strenge Grenzen zieht: die das Gefühl vom Verstand, Gott vom Menschen, den Menschen von der Natur und das Leben vom Tode trennt. Allein schon im architektonischen Aufbau einer Kirche, der hochgewölbten Kuppel und den hohen, auf das ferne Himmelreich zulaufenden Säulen, strebt der Geist dem Jenseits, einem von Mensch und Natur getrennten, allmächtigen Gott entgegen. Der im Vergleich dazu niedrige Hindutempel ist eng und erdgebunden und fängt die Weite des Himmels in seinen Mauern ein. „Gott ist nicht außerhalb deiner selbst", sagen die Hindus. „Schau nicht in die Ferne, willst du ihn finden. Sieh, er wohnt hier! Ist überall um dich herum! Er spiegelt sich im Innersten deines Wesens, dem grenzenlosen Raum der Seele."

Wie viel mehr würde ich über das Leben erfahren, wenn ich nur für einen Tanz zu Radha werden könnte und mich von ihrem Schicksal lenken ließe? Wie verändert würde danach vielleicht meine eigene Welt aussehen? Rohinis „Tanz der Biene" weckt in mir den Wunsch, mein Getrenntsein aufzuheben und mein Leben mit den unzähligen Wesen der Schöpfung zu teilen!

**Bewegungsstudien „Gats" im Kathak:
Der flötenspielende Krishna**

Mit Gegensätzen spielen:
Bewegungsstudien – „Gats" – im Kathak

Den folgenden „Gats", den feinen, fast intuitiven Bewegungsstudien mit über den Boden gleitenden Schritten, liegt ein reichhaltiger Gestenschatz aus dekorativen und suggestiven Gesten zugrunde, mittels derer die Vielfalt der Schöpfung interpretiert wird. Gats bilden ein besonderes Wesensmerkmal des Kathak. Sie veranschaulichen die Verwendung der Hastas, der Handhaltungen, die von der Tänzerin eher intuitiv und spontan, von der Haltung ihres ganzen Körpers getragen, ausgeführt werden. Deutet sie zum Beispiel durch das Spiel ihrer Hand die Mondsichel „Chandrakala" an, geht ihr Körper in eine an die weiche Rundung des Mondes erinnernde Beuge. Zeigt sie einen lauen Frühlingswind, bewegt sie ihre Hände in der Pataka-Handhaltung in sanften, schwachen Wellenbewegungen. Ist der Wind aber frostig und schneidend, zeigt sie dieselbe Handbewegung mit sich vom Frost versteifenden Fingern. Zu den Gats vergleiche Kapitel 5, Seite 105 - 109.

Ganz gleich, ob im Gat eine Reihe dekorativ-abstrakter Haltungen oder stark vereinfachte, flüchtige Episoden dargestellt werden, die Hände der Tänzerin vibrieren bis in die Fingerspitzen hinein, und ihre Darbietung wirkt niemals mechanisch. Innerhalb der geometrisch angelegten Schrittfolgen und der durch ausladende Seitwärtsdrehungen (Palta) vorgegebenen Struktur des Gat nimmt die Gangart (Gait), das Vorwärts-Schreiten der Tänzerin, einen besonderen Stellenwert ein. Einige im praktischen Teil erläuterte typische Gangarten zeigen Radha, wie sie, den Wasserkrug auf dem Kopf, zum Fluß schreitet oder wie sie, ihren Schleier anhebend, nach ihrem Geliebten Krishna Ausschau hält. Eine andere Gangart zeigt den geschmeidig verlockenden Gang des die Flöte haltenden Krishna oder – wie in dem dekorativen Gat-Nikas – die subtile Kombination maskulin und feminin anmutender Körperhaltungen.

118

Radha hebt den Schleier

Veschiedene Gangarten im Gat

Radha trägt einen Wasserkrug   Krishna trägt den Berg Govardhana und hält seine Flöte

Männliche und weibliche Gangart im Gat

Rama schießt einen Pfeil ab

Pantomime

| Den Berg hebend | die Flöte an seinen Lippen | hält er ein Muschelhorn |
| erstaunt Krishna alle im Dorf | | die göttliche Wurfscheibe |

und den Lotos   Er trägt eine Krone aus Pfauenfedern

Die Kuhhirtinnen blicken ihn durch ihre Schleier an

Pantomime (Fortsetzung)

und tanzen zu Krishnas Flöte

Es folgt der graziöse Gang des die Flöte haltenden Krishna

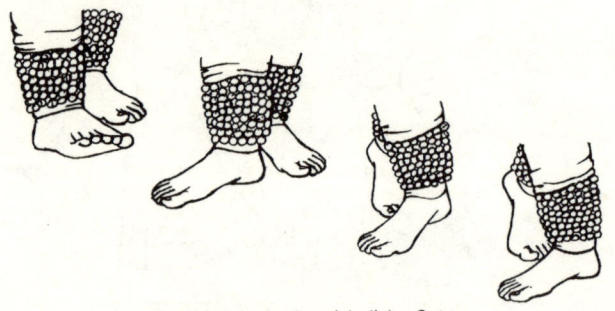

Das Voranschreiten (chal) im Gat

Zum Ausdruck kommen

Kapitel 6

Mugdha

Auf ihrem schwimmenden Lotosthron spielt Sarasvati, die Göttin der Künste, auf der Vina. Sarasvati ist die Erfinderin des Lesens und Schreibens, und sie lebt auf der Zunge Brahmas, des Weltenschöpfers. Ihr Körper wirft keinen Schatten, sie trägt einen Blütenkranz aus leuchtend weißen Kunda-Blumen. Durch die Kraft ihrer Erkenntnis lüftet sie den grauen Schleier aller Unwissenheit: in einer symbolischen Gebärde ziehe ich meine Hände vor den Augen weg, damit meine Lider sich dem Lichte öffnen. Der feierlich rezitierte Sanskritvers (Shloka) klingt aus. Als Sarasvati, die sanfte Göttin, beginne ich meinen Tanz zur Begleitung von Rohinis rhythmischer Silbensprache und den darin eingeflochtenen Worten. Ich halte eine Gebetskette und eine Palmenabschrift der Veden in meinen Händen, meine Finger gleiten über die Saiten der südindischen Vina. Auf die abschließenden Silben „*gha dhi gha na thai*" lege ich meine Handflächen ehrfürchtig über der Stirn zusammen und verneige mich zum Ende des Gebets vor Sarasvatis Weisheit.

„Fußarbeit", sagt Rohini. Augenblicklich setzt der geläufige Sechzehnertakt ein und vermischt sich mit dem Aufschlag meiner Füße. Gleich einem im Flug begriffenen Pfeil, der auf sein Ziel zufliegt, jagen meine Füße jetzt zielstrebig über den Boden, um den ersten Taktschlag zu erreichen. Die Sohlen fühlen sich wie die gespannte Haut zweier Beckentrommeln an, und ich setze meine Kraft äußerst sparsam ein, bis als nächstes That und Amad, in sich gekehrte, langsame Tänze im unregelmäßigen, dramatischen Zehnerzyklus (Japtal), folgen.

Rohini wirkt während ihrer raffinierten und wohl akzentuierten Präsentation des That ganz in sich selbst vertieft. Sie vollzieht die stark zurückgenommene tänzerische Geste mit größter Sorgfalt und Präzision. Doch ich kann mich im That noch nicht genügend sammeln. Der lockende Rhythmus pocht schon in meinen Adern, ein zaghaftes, unsicheres Erwachen prickelt in meinen Handgelenken und Fingern. Tanzen und sich dabei kaum bewegen! Rhythmische Schwingungen einatmen und sie lediglich an ihren Spannungspunkten tänzerisch bestätigen. Von innen heraus handeln und fühlen.

„That ist kein einfacher Tanz", sagt Rohini. „Wer aber die Ausstrahlung besitzt, sein Publikum schon durch die Intensität des meditativen Tanzens zu fesseln, der hat es mit der Darbietung der folgenden virtuosen und rasanten Parans leicht."

Die Parans, schnelle und komplizierte Tänze zur Begleitung der harten, ausdrucksstarken Silbensprache der Pakhavaj-Trommel, fordern mein Letztes. Mit bleibt keine Zeit zum Träumen. Ich habe mich auf Sekunden eingelassen, auf ein abgestimmtes Wechselspiel zwischen hitziger Ekstase und vibrierender, kühlender Stille. Keuchend ringe ich nach Luft. Ich will mich mit all meiner Kraft aus der Enge des Raumes in die unbegrenzte Weite des Weltraums drehen und wie ein Planet die Sonne umkreisen. Wie die wirbelnden Derwische des mystischen Sufi-Ordens, die sich in eine gottesnahe Trance drehen und dann erschöpft und berauscht zu Boden sinken; oder wie eine vollblutige, indische Zigeunerin bei einer ihrer ausgelassenen und feurigen Volkstänze.

Nach meiner Tanzstunde schaue ich Rohini beim Üben zu. Sie zündet Räucherstäbchen vor den Statuen von Ganesha und Shiva an, und wir atmen eine Wolke von schwer parfümiertem Jasminduft ein. Ihre kräftigen Nasenflügel kräuseln sich, ein fast wehmütiges Lächeln spielt um ihre Mundwinkel.

„Früher gab es noch richtige Kasturi-agarbattis zu kaufen. Ihr stark herber Duft wird aus einer Absonderung vom Bauchnabel des scheuen männlichen Moschus-Rehs gewonnen, das an den Steilhängen des Himalaya lebt. Kasturi riecht, als entströme es direkt dem Nabel der

Erde, aber die von Eingeborenen aufgelesenen, ingwerfarbenen Kugeln sind immer seltener geworden. Wir kauften Kasturi damals von wandernden Wunderheilern", fügt sie hinzu und legt sich den langen, glänzenden Strang ihrer Ghungrus an.

„Wo bleibt Raju?" Sie weiß so gut wie ich, daß sich unser junger Tablaspieler jeden Morgen verspätet. Er murmelt dann eine unverständliche Erklärung vor sich hin, klettert auf die schmale Sitzfläche und fängt schon mit einer Hand zu spielen an, während die andere nach dem kleinen, metallenen Hammer greift und die Tabla damit stimmt. Kurzentschlossen steht Rohini auf, stellt das Metronom an und beginnt sich mit dem langsamen, regelmäßigen Aufschlag ihrer Füße aufzuwärmen. Als Raju endlich erscheint, gibt sie zuerst vor, ihn nicht bemerkt zu haben. Er sagt lauter als gewöhnlich: „Very sorry, Babytai!" Mit gekränkter Miene wendet sie sich ihm zu, schaut auf die laut tickende, altmodische Wanduhr und sagt äußerst knapp: „Tintal."

Sie spielt sich in einer kurzen Routine auf den Rhythmus ein. Ihre Füße schlagen leicht und regelmäßig auf. Sie liebkosen den Stein mit ihrer flachen Sohle und erzeugen einem hellen, singenden Laut. „Du trampelst bei der Fußarbeit wie ein Pferd", hatte sie gestern halb scherzend zu mir gesagt. Ich war anschließend mit bleiernen Beinen, entmutigt und verärgert, nach Hause gegangen. Aber ihr Tanz läßt mich meinen Groll vom Vortag wieder vergessen. Angesichts ihrer Kunst bin ich nur eine hoffnungslose Anfängerin.

Das Rasseln der Ghungrus wird jetzt schneller und dichter. Anstatt die Füße mit der ganzen Sohle aufzuschlagen, hebt Rohini nur die Fersen an. Sie füllt die einzelnen Taktschläge durch ein feines, rhythmisches Schütteln der Schellen aus, das sanfte, übergangslose Wellen durch ihren Körper sendet. Sogar ihre Wangen zittern. Einer Seiltänzerin gleich, jongliert sie kerzengerade mit ihrem Gewicht, verlagert es fließend auf die Innen- oder Außenkante der Füße. Jede einzelne Zehe und jeder Muskelstrang sind gespannt und zeugen von einer bis ins kleinste detaillierten Körperbeherrschung. Sie läßt den Glockenchor mal tosend aufbrausen, dann wieder in zaghaft, geläutertes Rauschen abfallen. Zu den leisen, eintönigen Trommelschlägen hebt sie jetzt ihr rechtes Bein ganz vom Boden ab und schüttelt gekonnt mit ihrem Fuß. Die Schellen verstummen gehorsam, eine nach der anderen. Sie regen sich, kaum hörbar flüsternd, ein letztes Mal, bis das einsame Getingel einer einzigen Schelle die sich in Erwartung gesteigerte Stille bricht.

Das Prasseln der Tabla setzt augenblicklich wieder ein. Zusammen mit dem inzwischen eingetroffenen Harmonium-Spieler gebe ich meine Bewunderung kund. Unser Sarangi-Spieler hat es sich auf dem Boden bequem gemacht und spannt mit einem ausgehöhlten, hölzernen Schraubenzieher die störrischen Wirbel der dicken, weißen Saiten seiner Sarangi, der indischen Violine. Vom Harmonium dröhnt ein langanhaltendes Pa, unsere Note G, und Raju stimmt die Tabla darauf ein. Die Sängerin kommt herein und zwängt sich noch zwischen den Tabla- und Harmoniumspieler auf das Podium.

Während die Musiker ihre Instrumente stimmen, wendet sich Rohini zu mir hin: „Heute tanze ich ein ungewöhnliches Charakterstück, die Geschichte eines jungen, in der Liebe noch unerfahrenen Mädchens vor der Hochzeitsnacht." Ich halte meine Überraschung zurück, und sie fährt fort: „In der Geschichte, die von einem Dichter als Rätsel aufgegeben wird, stelle ich Mugdha, die zukünftige Braut, durch mehrere bildhafte Vergleiche dar: ihr flatterhafter Gang ist wie das ungeschickte Tänzeln eines Rehs. In ihren Augen, in denen lauter Sterne blinken, spiegelt sich ein junger Mond. Sie ist keine Blüte, zu dessen Nektar die Biene taumelt, sondern eine scheue Knospe, bei der die Biene nicht lange verweilt. Sie ist eine Quelle, kein Fluß, und die Sonne ihres Lebenslichts ist noch nicht am untergehen."

Ich frage sie, ob im Tanz und in der Dichtung häufig auf solche der Natur entliehenen Metaphern zurückgegriffen wird. Sie bejaht und erklärt mir, der stolze Gang einer schönen Frau sei wie das Gleiten eines Schwans und der ausgeglichene, wiegende Schritt einer reifen Frau ähnele dem federnden Schreiten eines Elefanten.

„Und ein junges Mädchen hat einen hüpfenden Gang", bekräftigt sie, „der ist dem übermütigen Springen eines Rehs verwandt."

„Und das Rätsel?"

„Das Rätsel", antwortet sie, „wird von einem Dichter aufgegeben, der seine Dichterfreunde fragt, warum dieses schöne Mädchen seine Hand verbrannt habe. Den Grund", fährt sie fort, „wirst du selbst enträtseln können."

Rohini steht auf, um den Anfang des Liedes zu proben. Sie hebt die linke Hand mit angewinkeltem Daumen und gestreckten Fingern zu Pataka-Hasta und deutet mit dem Zeige- und Mittelfinger ihrer Rechten den Umriß eines Brandflecks an. Dann hebt sie die Hand mit gespreizten Fingern in einer Geste der Verwunderung zu Alapadma-Hasta, der Haltung der halb erblühenden Lotosblume, und stellt damit die Frage, warum sich diese schöne Hand verbrannt hat. Die eigentliche Geschichte beginnt. Rohini schlüpft in den noch ungeformten Körper einer Dreizehnjährigen, die sich verfrüht und gezwungenermaßen ihrer angehenden Fraulichkeit bewußt wird.

„Mein Körper kann verborgene Gefühle und unergründbare Zustände des Seins ausdrücken, ohne Empfindungen durch Worte einzuzuengen", hat sie einmal bemerkt. Im Mugdha tanzt sie die Verwirrung eines indischen Mädchens an der Schwelle zu seiner um ihre Jugend gebrachten Reife. Rohini, die auf die Sechzig zugeht, teilt uns in gerafften fünf Minuten Mugdhas Schicksal mit. Bevor die eigentliche Handlung einsetzt, macht sie uns mit Mugdha vertraut: mit ihrer Statur und ihrem jugendlichen Gang, mit ihrem langen Zopf und mit ihrer zarten Haut und – durch die Andeutung der funkelnden Sterne in ihren Augen – auch mit dem Vorhandensein ihrer reichen Ideenwelt. Nach dieser anfänglichen Beschreibung Mugdhas wird sie Mugdha selbst.

Mugdha achtet auf die Geräusche im Haus. Sie sind ihr fremd, fast unheimlich. Plötzlich überfällt sie ein Grauen vor der hereinbrechenden Dunkelheit. Vor ihrem Bett schiebt sie die schweren Girlanden aus Rosen und Ringelblumen beiseite. Sie riecht an den taufrischen Blüten, die auf ihrem Kissen verstreut liegen und geht nachdenklich im Zimmer auf und ab. Etwas ist anders geworden. Liegt es an ihr oder an den feurigen Blicken und verstohlenen Berührungen, die ihr jetzt häufig zukommen? Sie möchte all das einfach abschütteln können, ungestört ihr gewohntes Leben weiterführen. Da schreckt sie ein lautes Geräusch aus ihren Gedanken auf. Voller Furcht läuft sie Hals über Kopf in die Arme ihres ins Hochzeitsgemach eintretenden Mannes. Dieser denkt, Mugdha sei aus freien

Stücken zu ihm gekommen, und zieht sie heftig an sich. Verwirrt befreit sie sich aus seiner Umarmung. Es kommt zu einem kurzen Kampf zwischen den beiden, in dessen Gerangel sich ihr Sari verheddert und abwickelt. Voller Scham fährt sie mit ihrer Hand in die Öllampe und verlöscht deren Licht. „Und das", beschließt Rohini, „ist der Grund, warum diese schöne, junge Hand verbrannt ist."

Rohinis Abhinaya hält mich gefangen. Ich nehme ihren nächsten Tanz im komplizierten Zehneinhalbtakt kaum wahr. Ich kann Mugdha noch deutlich im Raum spüren. Sie ordnet ihre Träume. Vielleicht steht sie am Fenster und fühlt den kühlen Abendwind. Sie ist keine Göttin. Sie ist ein gewöhnliches Mädchen. Ungleich Radha spielt sich ihr Leben nicht im Abglanz mythologischer Gleichnisse ab. Ihr geschehen keine Wunder. So wie es sich einst mit Draupadi in dem Mahabharata-Epos zutrug, als Yudhishthira, der Älteste der fünf Pandava-Brüder, sein Königreich, seine Brüder, sich selbst und zuletzt Draupadi in einem Würfelspiel gegen seinen Vetter Duryodhana verlor. Als Zeichen ihrer Niederlage sollte Draupadi vor der anwesenden Kaurava-Sippe ihres Saris entkleidet werden. In einem flehenden Hilferuf betete sie zu Krishna, und so sehr Duryodhana auch an ihrem Sari riß, es türmten sich Lagen um Lagen Stoff auf. Draupadis verblüffte Feinde rafften vergebens an dem unendlich langen, ihre Ehre bewahrenden Tuch, dessen magische Beschaffenheit dem allmächtigen Wesen Krishnas entsprang. Aber Mugdhas Hand ist verletzt, ihre Wunde schmerzt.

Rohini krönt jetzt ihre technische Darbietung im Nritta-Tanz mit einer Abfolge schneller, spritziger Tihais. Die kurzen, dreimal wiederholten, kniffligen Rhythmen werden in Drut, in schnellem Tempo, ausgeführt. Ihr Aufbau wird unter Tänzern mit plastischen Bildern verglichen: mit dem langsamen Anschwellen eines Wasserfalls, mit der zur Mitte hin abnehmenden und nach außen hin wieder zunehmenden, sanduhrförmigen Damaru-Trommel oder mit einem nach unten stetig abfallenden Kuhschwanz. Rohinis Füße fliegen. Sie tanzen das rhythmische Muster von Gopucchha, dem Kuhschwanz. Die immer kürzer werdende Zusammenstellung rhythmischer Phrasen erinnert mich eher an den Count-Down eines startbereiten Weltraumschiffs: neun, acht, sieben, sechs, fünf, vier, drei, zwei, und eins. Ein drittes Mal auf Eins angelangt, beendet Rohini ihre rhythmische Fußbewegung in einer entschiedenen, weit ausladenden Pose. Erschöpft und durchgeschwitzt läßt sie sich auf das Sitzpolster fallen. Ich knie vor ihr nieder und binde ihr die schweren Schellen ab.

***

Rohini räuspert sich und stimmt die Melodie des Thumri, des kurzen Liebesliedes, an, das sie mir in unermüdlichen Wiederholungen beizubringen versucht: „Kāhē rōkata dagara pyāre, Nandalāla mērē." Von Bindadin Maharaj vor mehr als hundert Jahren verfaßt, wird in der semi-klassischen Liedform des Thumri jede Zeile mehrmals gesungen und dabei von der Tänzerin mit einer vielsagenden Mimik und Gestik unterschiedlich gedeutet. Die Dichtung führt mich wieder in die geheime Seelenlandschaft Radhas und vermittelt die strengen Sitten in einem indischen Dorf.

In dem Lied versperrt mir Krishna überraschend den Weg. Ich halte inne und drehe mich von ihm weg. Ein kurzes, ungewolltes Lächeln zuckt um meinen Mund. Allein durch das Spiel meiner Augen frage ich ihn mißtrauisch, mit welcher Absicht er mir den Weg verstellt: „Kahe rokata dagara pyare?" Doch auf die letzten beiden Worte der Zeile „Nandalala mere" oder „geliebter Krishna" schenke ich ihm trotz meiner Verunsicherung einen innigen, verschwiegenen Blick. Jetzt deute ich die Worte durch die Gesten meiner Hände, dann durch die Sprache meines ganzen Körpers an. Die feine Mischung von sich widerstrebenden Gefühlen, von freiwilliger und unfreiwilliger Körpersprache macht den Reiz dieses Liedes aus. Seiner Stimmung liegt das erotische Gefühl, Shringara rasa, zugrunde.

Krishna ist unbekümmert und frech. Er zieht mich an meinem Zopf, faßt mich um die Brust, zerbricht mein Tongefäß mit einem Stein und wirft mir Sand in die Augen. „Streite dich nicht mit mir", warne ich ihn aufgebracht, „sonst gehe ich zu Nanda, deinem Vater, und erzähle ihm alles." Ich komme mir albern vor, ihn mit erhobenem Zeigefinger zu ermahnen und dann die Hütte seiner Eltern anzudeuten.

Rohini erinnert mich daran, inneren Abstand zu dem Geschehen zu halten. „Eine Malerin beraubt sich nicht der Farbe", sagt sie, „sie trägt sie auf eine leere Fläche auf und mischt sie vorher gekonnt zu unterschiedlichen Tönungen. Beraube dich beim Tanzen nicht der Gefühle. Spiele mit ihnen und verhilf ihnen zum Ausdruck. Aber laß dich dabei nicht von deinen eigenen Empfindungen überwältigen und davontragen."

Gegen Ende des Thumris schaue ich Krishna fest und zornig in die Augen. Ich habe genug von seinen andauernden Torheiten und ziehe kurzentschlossen ein paar Wäschestücke von der Kleiderschnur, falte sie zu einem Bündel und hänge es, an einem Stock befestigt, über meine Schulter. Eiligen Schrittes verlasse ich das Dorf. Doch auf dem Weg halte ich an und lausche in plötzlicher Verzückung. Das schwere Bündel gleitet ins weiche, hohe Gras. Ätherische Flötenklänge treffen tief in mein Herz, das augenblicklich aufbricht und sich der Ekstase öffnet. Tiefe Freude bemächtigt sich meiner. Ich gebe mich ihr hin und überlasse mich, von fesselnder, irdischer Schwere befreit, der berauschenden Melodie. Krishna, der Gott der Liebe, fängt meine Seele und meinen Körper in seinen Armen auf, und vereint beginnen wir zu tanzen. Angesichts solcher Glückseligkeit ist der vorangegangene Streit unbedeutend. Die letzte Strophe des Liedes verklingt. Meine persönliche Geschichte, meine Alltagsmaske, ist aufgelöst.

Rohini schaut gelangweilt vor sich hin und spielt mit ihren Armreifen. „Nochmal", sagt sie nur. Ich beginne den Thumri von vorn, diesmal leichtfüßiger und genau in dem die Geschichte untermalenden Dreitakt. Doch ihr geht es um den Ausdruck. Ich soll mehr Tiefe im Gefühl zeigen, meine Darstellung soll nicht überspannt und aufgesetzt wirken. Nach dem vierten Mal verliere ich die Geduld und unterbreche den Tanz: „Radhas Art liegt mir einfach nicht. Sie handelt unselbständig und töricht."

„Ohne Radha und Krishna gibt es keinen Kathak", entgegnet Rohini ungewohnt heftig. Meine Bemerkung hat sie offensichtlich verstimmt. Sie erhebt sich und schließt leise hinter sich die Tür.

Ich sinke erschöpft auf den Schemel. Mir wird wieder einmal deutlich, daß ich eigene Ansichten vorerst aufgeben muß. Einer

Inderin ist es anerzogen, sich vorgegebenen Lebensinhalten zu fügen: sei es der Wahl ihres Mannes durch die Eltern, den Anweisungen ihrer Schwiegermutter, der Voraussage des Astrologen oder den Einschränkungen ihrer Geburt in eine der vielen Kasten. Ihr Schicksal, das sie mit Mut und Gelassenheit trägt, kennt kaum eine zweite Chance. Aber fügt sich Radha wirklich den zwingenden Umständen ihres Lebens? Ist sie nicht eine vollendete Schauspielerin, die scheinbar gewissenhaft ihre gesellschaftliche Rolle erfüllt und die sich dann heimlich, der Moral zum Trotz, einem Geliebten hingibt?

Zögernd stehe ich vor Rohinis Wohnungstür. Eine junge Bedienstete, das hübsche Gesicht von einem goldenen Nasenring verziert, schiebt den Türriegel beiseite und ruft nach Thai, Rohinis ältester Schwester. Thai, im traditionellen acht Meter langen Maharashtra-Sari, bittet mich freundlich herein. Ich gehe durch das Eßzimmer, in dem Usha, Rohinis zweitälteste Schwester, einer Gruppe von Nachhilfeschülern Privatunterricht erteilt. Rohini ist schon von meinem Besuch in Kenntnis gesetzt worden.

„Was für eine Überraschung", ruft sie aus und zieht mich am Arm in ihren winzigen Raum. Wir setzen uns beide auf ihre Schlafcouch. Den Boden bedeckt noch die dünne Bastmatte, auf der sie während ihres Mittagsschlafs geruht hat.

„Hast du gestern weitergeübt?" fragt sie mich.

„Nein, ich bin nach Hause gegangen", antworte ich, „aber ich habe noch lange über Radha nachgedacht. Hausen in ihrer Brust zwei Seelen, die der pflichtbewußten Hindu-Frau und die der heimlichen Geliebten?"

„Du bewertest Radhas Verhalten viel zu sachlich", antwortet Rohini. „Ihr selbstvergessener Tanz stimmt sie auf die feinen Schwingungen des grenzenlosen, kosmischen Bewußtseins ein, nach dessen Wahrhaftigkeit sich ihre Seele verzehrt. Wenn die Melodie von Krishnas Flöte erklingt, kann sie nicht umhin, als augenblicklich zu ihm hinzueilen. Sie vergißt alle Schande, die sie sich mit ihrem Betragen auferlegt. Je mehr weltliche Regeln sie bricht, desto gewichtiger wird die mystische Bedeutung ihrer Liebesbeziehung zu Krishna als Streben ihrer Seele zur Vervollständigung hin. Zusammen halten

Radha und Krishna das Schöpfungsrad in Gang, wobei Radha Bhakti, die vollkommene Hingabe, verkörpert. Aber Krishna liebt alle Seelen, die zu ihm kommen", fährt Rohini fort. „Einmal hat er Radha während eines Tanzes heimlich mit sich davongeführt. Voll eitlem Stolz, daß er sie den anderen Gopis vorzog, bat Radha Krishna, sie auf seinen Armen zu tragen. Da verschwand der Gott. Radha irrte allein und unglücklich durch den Wald, bis ihre Freundinnen sie schließlich fanden. Vereint riefen sie alle nach Krishna, um ihren kreisförmigen Liebestanz fortzusetzen, dessen Anordnung einem grenzenlosen, sich ewig erneuernden Mandala gleicht. Verstehst du das?"

„Ich glaube ja", entgegne ich. „Krishna ist überirdisch schön und strahlend. Er zieht die Seelen an wie das Licht die Motten."

Sie nickt. „Und was ist mit Radha?"

Ich überlege einen Moment. „Radha gibt sich Krishna rückhaltlos hin. Ihr Verlangen nach ihm reißt sie ebenso in rasende Verzückung wie in abgrundtiefe Verzweiflung. Obwohl Radha Zeiten schmerzhafter Trennung von ihrem Geliebten durchmacht, gibt es in Wirklichkeit nichts, was sie je von Krishna entfernen könnte."

Rohinis Augen leuchten auf. „Krishna ist der ewige Geliebte aller Seelen. ER ist es, zu dem wir am Ende unseres Lebens kommen werden. Die Erfüllung in der Liebe, die wir im Leben suchen, ist in Wirklichkeit nur ein Abglanz seiner vollkommenen Liebe."

Ihre poetische Schilderung beflügelt meine Phantasie. Meine Zweifel beiseite lassend, fahre ich fort: „Vielleicht gleicht unser Ich nur einem Eisberg, der auf dem Ozean des Unbewußten dahintreibt. Radhas Leidenschaft aber läßt sie zur Flamme werden. Ihre Festigkeit, ihr Ego, schmilzt dahin und löst sich im Wesensgehalt Krishnas auf. Aber", beschließe ich, „was gefällt dir eigentlich an meinem Thumri nicht?"

„Gefühle gleichen lediglich auf- und abtanzenden Wellen über einem bodenlosen Meer", antwortet Rohini. „Ihre prickelnden Schaumkronen vergehen so schnell, wie sie sich eben noch über der Wassermasse aufgetürmt haben. Jedes Gefühl geht nach seiner Entäußerung wieder in die Formlosigkeit ein, die es ursprünglich hervorgebracht hat. Deshalb identifiziert sich eine indische Tänzerin nicht mit der einzelnen Welle, sondern mit der Natur ihrer Psyche: der Gesamtheit des Wassers. Ein Teil deines Bewußtseins kann verschiedene Gefühle mit innerem Abstand beobachten. Du wirst dir selbst zum Zuschauer und beobachtest den Antrieb, die Dynamik und die Schwankung einer Empfindung mit innerem Gleichmut, ja mit einer wißbegierigen Furchtlosigkeit. Du wirst dadurch zum Spiegel der Empfindung und reflektierst all ihre Gesichter und Farben, die du dann gekonnt und fein dosiert auf der Bühne ausspielst. Gefühlsreichtum, innerliche Losgelöstheit, ja geistige Verzückung sind bezeichnend für den indischen Tanz. Dir fehlt noch dieses bewußte, losgelöste Erleben. Du legst Gefühlen und Handlungen den Panzer deiner Weltanschauung an."

Meine Art zu leben ist Rohini zu gegenständlich, mein Körper ist noch zu sehr veräußerlichte Form, Fassade, Maske. Sie empfindet ihren Körper als Tempel, als eine durchlässige Hülle, die von ihrem feinstofflichen Selbst beatmet wird. Wie einer inneren Landkarte folgend, scheint sie sich in ihrem Körper und in der Beschaffenheit des Geistes auszukennen. Aber ich kann nicht unter meine Haut fühlen. Ich lasse mich immer wieder blindlings von meinen Gefühlen mitreißen. Ich wünsche mir inneren Abstand, die Weisheit des dritten Gesichts Shivas, den Tanz unbegrenzter Möglichkeiten. Ich stelle mir vor, wie ein Vogel zu sein und in unbekannte Bereiche des Seins zu blicken: in dunkle, gefahrvolle Abgründe und in geistige, vielleicht sogar in göttliche Höhen.

Ich frage sie, wie ich inneren Abstand und größere Einsicht erlangen kann.

„Durch Stille, durch das Anhalten sämtlicher Aktivität und durch bewußte Atmung", entgegnet sie.

„Du meinst durch Yoga?" frage ich fasziniert. Sie bejaht. Ich frage weiter, ob das mit den Mantren, den Silben, zu tun hat, die sie frühmorgens im Yogasitz rezitiert.

„Die Mantrarezitation ist eine von vielen Yoga-Techniken, um Geist und Körper in Harmonie zu halten", antwortet sie. „Die heiligen Silben rufen verschiedene Gottheiten, wie Vishnu und Shiva an. Jede Gottheit wird einem der fünf Elemente zugeordnet, die ich, zusammen mit ihrem Namen, in meinem Körper als Mikrokosmos anrufe und denen ich huldige. Die Erde ist mein Fleisch, meine Knochen, meine Muskeln. Das Wasser ist mein Blut und mein Plasma, das Feuer die reinigende Kraft meiner Verdauungs- und Ausscheidungsorgane. Die Luft ist mein Atem, und der Äther ist mein Bewußtsein. Die Silben sind so angeordnet, daß sie sich zu immer länger werdenden Klangfolgen aneinanderreihen, so daß der Fluß des Atems während ihrer Rezitation immer tiefer wird. Und der Atem ist wie eine Brücke zwischen Körper und Geist. Fließt er ruhig und ausgeglichen, hilft seine Bewegung, die Wogen der Gedanken und Gefühle zu glätten und sich in dieser klärenden, inneren Stille des wahren Selbst bewußt zu werden."

„Garam pani hai", ruft Anju und steckt ihren Kopf zur Tür herein. Warmes Wasser sei für sie bereit gestellt, entschuldigt sich Rohini. Sie schließt ihren stählernen Spind auf, in dem unzählige, feinsäuberlich gefaltete Saris liegen und wählt einen pastellgrünen Seidensari mit dünner Silberborte.

Nach dem Bad tritt sie frisch und strahlend ins Zimmer. Ich schlage ihr vor, zur Tanzschule zu Fuß zu gehen.

„Zu Fuß? Na gut, das habe ich schon lange nicht mehr getan." Sie streift sich das Mangal Sutra, eine lange, schwarze Glasperlenkette mit einem Anhänger aus zwei goldenen Schalen über, das Schmuckstück einer verheirateten Frau, und greift nach ihrer braunen Plastiktasche. Gutgelaunt treten wir in den dunklen Flur hinaus und gehen durch die Küche. Anju läuft schon zur Tür, um einer Riksha zu winken.

„Heute nicht", sagt Rohini, „wir gehen zu Fuß."

Anju sieht uns mit offenem Erstaunen an, auch Usha schaut kurz von ihren Heften auf.

„Ich sage noch schnell Thai, meiner ältesten Schwester, auf Wiedersehen", sagt Rohini. Ich trete hinter ihr in Thais luftiges Zimmer ein, dessen Balkon zur Straße zeigt und von einem prächtigen, zinnoberrot blühenden Palash-Baum beschattet wird: „Bis heute Abend", Rohini bückt sich und berührt mit ihrer Hand den Boden vor Thais Füßen.

„Vermißt du deine Familie?" fragt Rohini nachdenklich. Wir schlendern durch enge, verwinkelte Seitenstraßen, um die Hauptstraße zu meiden.

„Manchmal", ich schaue einer Krähe mit einem Kragen aus silbergrauen Federn nach, die schwerfällig über den Gehsteig hüpft.

„Ich hätte es ohne die Unterstützung meiner Schwestern als Tänzerin schwer gehabt", sagt sie. Wir haben uns gegenseitig Kraft gegeben und uns selber einen Freiraum für unsere Selbstverwirklichung gewahrt. Außerdem war der Hindu-Tanz in meiner Jugend in Verruf geraten. Und von mir erwartete man, daß ich mich ausschließlich um das Wohl einer Familie kümmern werde". Sie hält inne: „Weißt du eigentlich, daß die Wiederbelebung des Kathak einer Tänzerin aristokratischer Herkunft namens Menaka zu verdanken ist? Sie ließ sich von der geächteten Kaste der Palasttänzerinnen unterweisen und wagte es 1926, eine öffentliche Kathakvorführung in Bombay zu geben. Die große Ballerina Pavlova war sogar unter ihren Zuschauern. Aber", in ihrer Stimme schwingt Bitterkeit mit, „Neuerungen im Kathak sind bisher immer Domäne der Männer gewesen. Sie können auf Tournee in fremde Länder gehen und dadurch ihr Blickfeld erweitern, und niemand wird sagen, sie vernachlässigen ihre Familie. Sie können sich in der Liebe ausprobieren, ohne daß ihr Ruf allzusehr darunter leidet. Aber für den orthodoxen Hindu ist die Frau immer noch ein Ebenbild Sitas, dem Mann untergeordnet und ergeben und ohne eigenen Willen."

Ich denke über das überlieferte Frauenbild Sitas aus dem Ramayana nach. Je länger ich mir Sitas verwirktes Schicksal vor Augen halte, desto größer wird mein Befremden. Wie kann sich Rohini nur mit Sita vergleichen? Allen Hindernissen ihrer Zeit zum Trotz hat sie sich eine erfolgreiche Tänzerkarriere aufgebaut. Sie ist Tänzerin, Sängerin, Dichterin und Choreographin und unermüdlich schöpferisch tätig. Ihre Person hat nichts von der Selbstverleugnung einer Sita, die sich in dem großen Ramayana-Epos bedingungslos für ihren Gatten Rama opfert und ihm willig ins Exil im Dschungel folgt:

Sita schneidet das stachelige Kusha-Gras vor Ramas Füßen nieder und ebnet den beschwerlichen Pfad. Ramas Bedenken, sie auf die gefährliche Wanderschaft durch die Wildnis mitzunehmen, tut sie mit den Worten ab: „Weder durch Vater noch Sohn, weder durch Mutter noch durch ihr eigenes Selbst, sondern einzig und allein durch ihren Mann, erlangt eine Frau in dieser und in der nächsten Welt die Erlösung. Läßt du mich im Palast zurück, werde ich augenblicklich mein Leben beenden."

Doch Sitas Glück an Ramas Seite ist nicht von Dauer. Ravana, ein gefürchteter Dämonenkönig, entführt sie nach Sri Lanka und sperrt sie dort in einen schwerbewachten Pavillon. Rama ist untröstlich. Er macht sich mit Hanuman, dem ihm treu ergebenen Affengott, auf, um Sita aus ihrer Gefangenschaft zu befreien. Seine Armeen überqueren die Wasser nach Lanka, und dank der Hilfe des mächtigen Affengotts Hanuman besiegt Rama schließlich Ravana und gewinnt Sita zurück. Außer sich vor Freude, führt man sie zu Rama, doch dieser weist sie überraschend kalt zurück. „Es ist eines Königs unwürdig, Sita als Frau zurückzunehmen", sagt er vor allen Versammelten, „ihre unwiderstehliche Schönheit hat Ravana bestimmt in Versuchung geführt". Sita, die mutig und unerschrocken alle Annäherungsversuche Ravanas zurückgewiesen hatte, beteuert Rama ihre unbedingte Treue. Vergrämt über seine falschen Beschuldigungen, bittet sie ihren Schwager Lakshmana, einen Scheiterhaufen für sie zu entzünden. Sie betet: „Oh Agni, Gott des Feuers und Wächter über die Welten, beschütze mich", und umschreitet dabei das heilige Feuer. Dann wirft sie sich in die Flammen. Doch das Feuer läßt sie unversehrt. Sogar ihr Blüten-Mala, der Kranz, den sie um ihren Hals gewunden trägt, bleibt taufrisch. Angesichts der inneren Hitze, die sie durch ihre Keuschheit angesammelt hat, kann die große, läuternde Kraft des Feuers nichts ausrichten. Rama, von ihrer Treue überzeugt, nimmt sie sich als Frau zurück.

Rohini schaut mich aufmerksam an. „Radha ist mir noch lieber als Sita", sage ich nachdenklich.

„Möchtest du nicht heiraten?" fragt sie neckend zurück.

Ich zucke mit den Achseln: „Wenn du ihn aussuchst, erwäge ich es!"

„Da müßte ich ja durch ganz Indien reisen!" entgegnet sie lachend.

Wir überqueren die Ferguson-College Straße und biegen zur Nrityabharati ab. Im Westen, über den kahlen, einförmigen Hügeln der Deccan-Hochebene, steht die Abendsonne in Flammen und trennt den durchsichtigen, blauen Himmel in lauter brennende Streifen. Der neblige Dunst der Stadt ist in ein flimmernd rötliches Licht getaucht. Ich spüre den Wunsch, den Kathak-Tanz einmal mit zeitgemäßen Themen zu erneuern.

✳✳✳

Ich steige die Wendeltreppe zur Übungshalle im ersten Stockwerk des Yoga-Instituts hinauf. Das ungewöhnliche Gebäude gleicht in seiner Bauweise einer senkrecht durchtrennten Pyramide. Direkt unter der Spitze residiert ein Bildnis des Affengotts Hanuman, des mächtigen und unbezwingbaren Gebieters über Wind und Atem. In der Türangel lehnt oben ein graulockiger, leicht untersetzter Inder mit einem stark ausgeprägten Brustkorb und schlanken, wohlgeformten Beinen. Seine straffe, bronzefarbene Haut wirkt wie ein elastischer Film über einer – verglichen mit den kräftigen Körpern von Tänzern und Athleten – wenig ausgeprägten Muskulatur. Anstatt körperlicher Stärke strahlt eher eine geballte, eiserne Kraft von ihm aus, die sich anscheinend mühelos in die von ihm erwünschten Yoga-Haltungen ergießen kann. Ein beherrschtes Feuer lodert in seinen Augen, die tief in den Augenhöhlen unter ungebändigten, buschigen, weißen Brauen liegen. Sein Blick kreuzt sich mit meinem. Ich fühle mich sofort in den Bann der großen Persönlichkeit des Yoga-Meisters, Yogacharya B.K.S. Iyengar gezogen.

Ich weite meinen Brustkorb und ziehe die Achselhöhlen nach vorn. Vereinzelte, knappe Anweisungen durchschneiden die eigentümlich wache, gläserne Stille, die über der domförmigen Halle schwebt. Mein Körper beginnt zu schwanken. Ich höre hinter meinem Rücken gedämpfte Schritte, mein Atem steht still. Das Brausen in meinem Kopf wird dichter. Die Schritte entfernen sich wieder. Ich suche weiter nach der feinen Mittellinie meines Körpers, kämpfe mit dem Gleichgewicht. Meine Füße wollen in der Luft stehen, ein Windzug streicht über ihre blutleeren Sohlen.

„Kommt herunter", sagt Geeta. „Fünf Minuten sind verstrichen." Endlich! Ich falle unbeherrscht aus Salamba Shirshasana, dem Kopfstand, zu Boden. Die Welt ist wieder in Perspektive gerückt. Das

Blut fließt wieder in meine prickelnden Füße. Erleichtert kehre ich in den festen Schoß der Erde zurück und ruhe mich dort aus.

Dann stehe ich langsam auf und lasse den Oberkörper entspannt nach unten hängen. Meine Zehen spreizen sich über der blauen, festen Schaumstoffmatte, und ich schaue zwischen meinen Knien hindurch. Ein ebenmäßiges Gitterwerk blaßgoldener Sonnenstrahlen fällt schräg hinter mir auf den Boden. Paare von schweren, ineinander verdrehten Tauen, bedrohlichen Schaukeln gleich, baumeln von der Decke, an der bis zum Boden hinabgezogenen Fensterfront stehen sorgsam gestapelte und ineinander verschachtelte Holzbänke. Abseits, an einer Säule, helfen Mitarbeiter des Yoga-Instituts einer Inderin in eine Umkehrhaltung der Beine und wickeln ihr eine elastische Binde um Stirn und Augen. Ihre Schultern mit tellerförmigen Gewichten beschwert, liegt sie regungslos da.

„Amrit", flüstert Vijay, der hagere, durchtrainierte Inder, der auf der Matte neben meiner übt, „drücke deine Kniekehlen durch."

Ich verlagere mein Gewicht von den Fersen zum Ballen des Fußes hin, und meine Kniesehnen spannen sich. Wir sind in Uttanasana, der Vorwärtsbeuge aus dem Stand.

„Streckt in den Asanas auch den Geist!" hatte mein neuer Yoga-Guru B.K.S. Iyengar gesagt. Die meisten Klassen werden zwar von seiner Tochter Geeta oder von seinem Sohn Prashant geleitet, aber der gestrenge Meister ist immer im Raum. Wenn er eben noch in dem verschlungenen Lotossitz im Schulterstand verharrte, kann er schon im nächsten Augenblick die Yogahaltung eines Schülers korrigieren. Seine unberechenbare, gefürchtete Art schleudert mich jedesmal gradlinig in die Gegenwart zurück. Ich tue mein äußerstes, damit er nicht vor mir mit donnernder Stimme Halt macht.

„Perfektion ist keine Zukunftsvision", hat Vijay im Gespräch bemerkt: „Perfektion bedeutet, jeden Moment sein bestmögliches zu geben."

Manchmal, wenn ich mich bei schwierigen Rückenbeugen oder in energischen, aufrechten Stellungen selbst übertreffe, dehnt sich mein Empfinden in bisher unbewußte Körperzonen aus: ich trete mit Hilfe der mir vom Meister vorgezeichneten Karte eine Wanderung durch eine fein gegliederte, innere Landschaft an. Die ausführlich gegebenen Anleitungen während der verschiedenen Yoga-Stellungen, den Asanas, erlauben es mir nicht, eine der Erfahrungen dieser Reise zu überspringen.

Die Körperdisziplin, die mich der Yoga lehrt, unterscheidet sich grundlegend von den Trainingsmethoden der westlichen Körperkultur. Tänzer und Athleten besitzen zwar wohlgeformte und kräftige Körper, doch haben ihre Muskeln die Tendenz, sich in der mittleren Partie aufzuwölben. Ein Beispiel hierfür ist der stark gewölbte Oberarmmuskel, der Bizeps. Gemäß der Yogalehre ist solcherart Muskelkraft die Körpersprache des Ego: man pumpt die Muskeln bis zum Bersten mit dem eigenen Willen voll, mit dem Streben nach schnellen und vergleichbaren Ergebnissen. Doch die Kraft bleibt aufgesetzt, unter der Muskelschicht kann es zu Rissen im Bindegewebe kommen. Ein Yogi hingegen dehnt die Muskeln bis zu den Muskelfortsätzen hin und hält damit die Gelenke geschmeidig, deren Spielraum ihm eine ungewöhnliche Beweglichkeit verleiht. Seine Kraft ist fließend und leer, nicht in sich verhärtet und aus dem Körper ausbrechend. Auch kräftigen die Yoga-Haltungen die inneren Organe, Drüsen und Nerven, so daß ein abgerundeter Zustand von Gesundheit, Beweglichkeit und innerem Wohlbefinden entsteht.

„Wahre Kraft schleudert sich nicht nach außen", hatte Masterji, mein erster Tanzlehrer, einmal bemerkt. „Sie sammelt sich im Inneren, wo sie vibriert und sich ständig erneuert."

Durch die Atem- und Körpertechniken des Yoga finde ich schließlich eine klar nachvollziehbare Methode zur Erschließung dieser Kraft.

✳✳✳

Ich erzähle auch Rohini von meinen neuen Erfahrungen im Yoga. Ein Erlebnis während des Pranayama, der rhythmischen Atemkontrolle, hatte mich besonders berührt. Durch den tiefen, gleichförmigen Atemstrom war ich in meinen Körper hineingekrochen, als lebte ich in einem spiralförmig gewundenen Schneckenhaus. Je tiefer ich in mein Inneres vordrang, desto weiter tauchte ich in eine kristallklare, gehobene Stille ein. Ihre lautlosen Schwingen trugen mich von Trägheit und Erdschwere zu einem lichten Schweben hin:

in eine belebte, dem Körperlichen entrückte Weite. Ich hatte Mut gebraucht, um die innere Schwelle der Festigkeit und Dinglichkeit zu überqueren und um mich diesem durchsichtigen, lösenden Strömen zu öffnen. Einen Augenblick lang hatte ich dem ätherischen Lied der Stille gelauscht und das Streben nach Formbezogenheit aufgegeben. Ich konnte beobachten, wie meine gewohnten geistigen Vorgänge an den Rand meines Bewußtseins rückten und einer gesammelten Klarheit wichen. „Es war überwältigend", beschließe ich, unfähig, Rohini die Tragweite dieses Erlebnisses noch weiter auszumalen.

„Der Atem ist das Geschenk des Schöpfers", antwortet sie freudig. „Und eine Tänzerin kann den dramatischen Gehalt einer Geschichte durch den bewußten Einsatz ihres Atems steigern. Es ist, als würde sie der ausdrucksträchtigen Gebärde Gefühl einhauchen."

„Und im Yoga", sage ich, „vertiefen sich Körper und Geist in die Dynamik verschiedenster Lebensformen, wobei der Yogi oder die weibliche Yogini deren Wirkung auf ihr Bewußtsein und auch deren Heilkraft erlebt: in der gestreckten Dreieckshaltung, Utthita Trikonasana, formen Oberkörper, Arm und Bein ein Dreieck, in Vrkshasana vermittelt der Körper das Verwurzeltsein und das Gleichgewicht eines Baumes, in Virabhadrasana die energische, ausladende Stellung eines mächtigen Kriegers, in Ardha-Chandrasana die Form des Halbmonds, in Kurmasana die unter ihrem Rückenpanzer eingezogene Schildkröte, in Tolasana eine angehobene Waagschale und in dem schwer zu meisternden Natarajasana, in dem der Yogi auf einem Bein balancierend die Fußsohle des anderen zum Hinterkopf zieht, versinnbildlicht er eine anmutige Tanzpose des agilen Shiva."

„Und treffen sich nicht im Tanz", fährt Rohini fort, „all diese durch Yoga-Asanas dem Körper einverleibten Ausdrucksweisen und Lebewesen zu einem ausgelassenen Spiel, zu einem bunten Reigen, in dessen Zentrum plötzlich eine mitreißende Geschichte entsteht, die uns die Geschehnisse des Lebens in unterhaltender Weise vor Augen führt?"

Unsere Tanzstunde ist durch das Reden fast um. Ich nehme mir vor, der Verbindung von Tanz und Yoga als zwei sich ergänzender Wege der Selbsterkenntnis und Körpererfahrung weiter nachzugehen.

Zum Ausdruck bringen: die Kunst der inhaltlichen Darstellung – „Abhinaya" – im Kathak

Das professionelle Vortragen von Geschichten wird schon in so alten indischen Epen wie der Mahabharata (200 n. Chr.) erwähnt. Der flüchtige Entwurf solch einer Geschichte heißt „Katha". Und „Kathak" war einst der Name für die Kunst der Geschichtenerzählung und Götteranbetung in den Tempeln Nordindiens, die von einer Kaste wandernder Barden, den Kathakas, ausgeübt wurde. Unter dem späteren Einfluß des Vaishnavismus, einer religiösen Bewegung, die der Vereinigung des göttlichen Liebespaares Radha und Krishna als höchste Form des Yoga huldigte, und die den Künsten eine große Bedeutung zumaß, erfuhr die Kunst der Kathakas einen ungeahnten Aufschwung. Der sich damals im 15. und 16. Jahrhundert entwickelnde Rasalila-Rundtanz, ein rituelles Tanzspiel zu Ehren Krishnas und Radhas, wird heute noch von sogenannten Rasadharis in Tempeln der nordindischen Region Uttar Pradesh aufgeführt.

Durch den späteren Einfluß der Nordindien erobernden Moghulfürsten wandelte sich diese uralte, sakrale Tanzform in einen virtuosen und einzigartig expressiven Hoftanz. Unter dem Mäzen des Kathak, dem Dichterfürsten Wajid Ali Shah, entwickelte sich ein von den Forderungen des Moghulhofs geprägter Kathakstil, die sogenannte Lucknow-Schule (Gharana), die auf Sinnlichkeit, Eleganz, Gefühl, Lebensfreude und Virtuosität Wert legt. Wajid Ali Shah (vgl. Kapitel 7, Seite 151 - 153) verstand es gekonnt, sein persisches Erbe in den Hindutanz mit einfließen zu lassen. Und er schuf, eigens für den Kathak, eine neue Tanz- und Musikform: den Thumri, ein semi-klassisches Liebeslied, dessen Stimmung das erotische Gefühl, Shringara rasa, zugrunde liegt.

Die mehrmals wiederholten, poetischen Liedzeilen des Thumri werden von der Tänzerin mit einer vielsagenden Mimik und Gestik immer wieder unterschiedlich gedeutet. Die so entstehende Nuancierung in der tänzerischen Darstellung einer inhaltsträchtigen Liedzeile verlangt eine große, von der Persönlichkeit des Darstellers getragene, emotionelle Ausdrucksfähigkeit (Bhava). Die feine Mischung von sich widerstrebenden Gefühlen, von freiwilliger und unfreiwilliger Körpersprache machen den besonderen Reiz des Thumri aus, in dem nun die Tänzerin mit verhaltener Leidenschaft die Höhen und Tiefen der Liebe schildert.

Die folgenden Abbildungen des erzählenden Tanzes „Abhinaya" sind Ausschnitte des vor über hundert Jahren von Bindadin Maharaj am Hofe Wajid Ali Shahs verfaßten Thumri „Kahe rokata dagara pyare, Nandalala mere" (vgl. Kapitel 6, Seite 131 - 132). Darin beschreibt Radha die Eskapaden, die Krishna (Nandalala), trotz ihrer bekundeten Zurückhaltung, mit ihr treibt.

Die Kunst der inhaltlichen Darstellung ...

Warum

hältst Du

meinen Weg an

geliebter Nandalala

... „Abhinaya" im Kathak: ein Tumri

Du ziehst mich am Arm

umfaßt mich heimlich

läßt mich nicht zum Wasserholen gehen

und hörst nicht auf meine Bitten

Ein Gasal: Die Kunst der inhaltlichen …

Vergebens

habe ich die Nacht

bis zum Morgengrauen

auf Dich gewartet

... Darstellung „Abhinaya" im Kathak

Bis zur Besessenheit

verstrich die Zeit vergebens

und meine Umarmung

blieb leer.

Das zweite Beispiel zeigt Ausschnitte aus einem Gasal, einem in der klangvollen Urdu-Sprache gesungenen Liebeslied persischen Ursprungs. Das von dem berühmten pakistanischen Dichter dieses Jahrhunderts, Fais Ahmed Fais, geschriebene melancholische Lied „Tum āye hō na shabe intesār ġusrī hai" erzählt von dem vergeblichen Warten auf den Geliebten.

Creation

Kapitel 7

Umrao Jaan

Die Silhouette des ockerfarbigen Sandsteinpalasts Barah Dari, im Herzen der Stadt Lucknow, zeichnet sich malerisch gegen den noch jungen, in lichtes Blau getauchten Nachthimmel ab. Gleich werden entlang der Torbögen und an den orientalisch verzierten Fassaden Hunderte von bunten Glühbirnen aufleuchten und zum Dröhnen neuster Schlager die wohlhabende Hochzeitsgesellschaft willkommen heißen, die die Halle des Palasts zum Empfang ihrer Gäste gemietet hat.

Noch bis in die zweite Hälfte des vorigen Jahrhunderts hinein ertönte jenseits diesen Mauern das Rasseln der Ghungrus zu ausgefeilten Tabla-Rhythmen und der romantischen Liebeslyrik des Thumri. Wajid Ali Shah, der letzte Nawab von Oudh, herrschte von dort über die seit der indischen Unabhängigkeit zu Uttar Pradesh umbenannte, nordwestliche Provinz. In vorgeschichtlicher Zeit soll ihre Hauptstadt Ayodhya gewesen sein, das mythologische Königreich Ramas.

Der Nawab hatte den Palast, eine rechteckig angelegte Enklave, 1848 als seine prunkvolle Residenz in Lucknow erbauen lassen: der Palast Barah Dari liegt inmitten eines großen Innenhofs und Gartens, dem Jilo Khana, der wiederum von eleganten, zweistöckigen Häusern umrandet wird. Gleich vor den östlichen Toren, hinter dem Mermaid Gate, liegen verstreut die ehemaligen Paläste seiner Begums, seiner Hauptfrauen, die weitläufigen Gemächer seines Harems, in dem damals mehr als vierhundert Konkubinen lebten, sowie die Häuser seiner Minister und Berater.

Wajid Ali Shah war ein großzügiger Gönner der Künste, und der mächtige Moghulfürst vernachlässigte seine Staatsgeschäfte über der Ausübung und Förderung des Kathaktanzes, seiner großen Leidenschaft. Unermeßliche Reichtümer wurden an seinem Hof verschwendet, um den extravaganten Lebenswandel und die unersättliche Genußsucht des Herrschers zu befriedigen. *Der Prunk, die einsetzende Dekadenz und die Muße der damaligen Aristokratie waren schon Vorboten des Untergangs des Moghul-Reiches sowie der ausgehenden Epoche muslimischer Herrschaft über Teile des nördlichen Zentralindiens. Im Jahre 1856 wurde dann auch Wajid Ali Shahs Fürstentum von der britischen East India Company annektiert. Wajid Ali Shah ging mit seiner treuen Gefolgschaft nach Kalkutta, wo er von der britischen Krone eine jährliche Abfindung von einem Vermögen von zwölf indischen Lak erhielt, die er weiterhin für die Pflege des Kathaktanzes ausgab.*

Zu Zeiten des Moghulfürsten war Lucknow eine Stätte gediegener Umgangsformen und höfischer Etikette. Verschiedene Kasten von Geschichtenerzählern, Kathakas aus Ayodhya oder aus dem heiligen Pilgerort Benares versuchten dort ihr Glück und mischten sich unter Dichter, Musikanten und Kurtisanen. Einmal im Jahr öffnete Wajid Ali Shah die Tore seines Anwesens zu einem rauschenden Fest. Der Muslimfürst selbst war ein begabter Kathaktänzer, Dichter und Choreograph und verfaßte unter dem Namen Akhtar über vierzig Schriften zur Kathak-Technik. Dabei verstand er es, sein persisches Erbe kunstvoll in den Hindutanz mit einfließen zu lassen, dessen Verfeinerung zu seinen Lebzeiten die vollste Blüte erreichte.

Die Tänzer Durga Prasad und Thakur Prasad waren berühmte Kathaks an Wajid Ali Shahs Hof. Es heißt, Durga Prasad habe den Fürsten selbst im Tanz unterwiesen. Durga Prasads Söhne, Kalka und Bindadin, wurden schon zu ihren Lebzeiten zu Legenden, und Bindadin Maharajs Portrait hängt über dem Sitz des Gurus in der Nrityabharati. Bindadins Nachfahren, Acchan Maharaj, Shambu Maharaj und Lachhu Maharaj – letzterer war Rohinis Guru – gaben die Tanzkunst an die großen Tänzer des heutigen Indien weiter. Und Acchan Maharajs Sohn, Birju Maharaj, leitet heute die Kathak Kendra Tanzakademie in Neu-Delhi. All diese Tänzerpersönlich-

keiten trugen zum Entstehen der Lucknow Gharana bei, einem von den Forderungen des Moghulhofs geprägten Kathak-Stil, der sich durch Sinnlichkeit, Eleganz, Lebensfreude und technische Details auszeichnet.

Rohini und ich wohnen in einem der Häuser, die den Jilo Khana, den Innenhof des ehemaligen Palasts von Wajid Ali Shah, umranden. In der Nähe befindet sich die Kathak Kendra, die Kathakschule Lucknows, deren Direktor Rohini zu einem Gastseminar eingeladen hat.

Die Tänzer und Tänzerinnen der Kathak Kendra sind auffallend verschieden von denen der Nrityabharati. Keiner in Lucknow strebt neben dem Tänzerberuf noch einen anderen Beruf an. Sie alle träumen von einer Karriere im Kathak, sei es als Mitglied der berühmten Tanztruppe Birju Maharajs in Neu-Delhi, sei es als Darstellerin in einer der zahlreichen Tanzeinlagen im Hindi-Film. Während Rohini – von allen liebevoll „Didi", „große Schwester", genannt – die Ausbildungsklassen leitet, gibt sie sich selbstsicher und bestimmt, und eine innere Gespanntheit treibt ihr Schaffen unentwegt voran. Doch sobald am Abend die Haustür hinter uns zufällt, wirkt sie auf mich eher nervös und abgespannt.

Unsere Unterkunft im Gästehaus ist ungemütlich, die Wände des alten Hauses feucht und schimmelig.

„Lege den Kopf nicht gen Süden", sagt Rohini, als ich mich im kleineren der beiden Räume einrichte. „Dort ist das Land Yamas, das Reich des Todes."

Ich erinnere mich, daß sogar der Docht einer Öllampe nicht nach Süden zeigen soll und verrücke mein eisernes Bettgestell. Mit dem Tauchsieder wärme ich uns ein wenig Waschwasser und krieche fröstelnd unter meine klamme Decke. Im Bett wimmelt es von Flöhen. Rohini, von Hustenanfällen geschüttelt, stößt immer wieder klagend hervor: „Hare Ram (gegrüßt sei Rama)."

Ich liege wach und lausche den Geräuschen der vorbeitrabenden Hufe der Tongas, der Pferdegespanne. Eindrücke unseres heutigen Besuchs des Chowk-Bazars, des alten Muslimviertels, kommen mir wieder in den Sinn: die weißbärtigen, zerfurchten und strengen Gesichter der Männer, die, Gebetsketten in den Händen haltend, vor ihren Läden mit Auslagen von Chikan, handgearbeiteten Stickereien, saßen, und, die oberen, schmalen, verfallenen Balkonreihen zu den einstigen Vergnügungsetablissements der Tänzerinnen (Tawaifs). Auf dem Bazar hatte ich ein Chhopka erworben, ein seitlich des Scheitels befestigtes, bis in die Stirn herabhängendes und mit Goldfolie unterlegtes Glasornament, das die Tänzerinnen unter ihren Schleiern trugen. Als ich den neuen Kopfschmuck vor dem Spiegel im Laden anlegte, hatte sich Rohini ein müdes Lächeln abgerungen. Ich denke auch an die Wände des Bhulbhulaiya, des Irrgartens, durch die man sich über beträchtliche Entfernung hinweg mit jemandem im Flüsterton unterhalten konnte, und an die alles überragenden goldenen Türme der Aurangzep-Moschee.

Am nächsten Morgen rufe ich mir ein Tonga.

„Willst du nicht lieber ein Taxi nehmen?" fragt Rohini, als ich auf den gepolsterten Rücksitz des Gefährts aufsteige. Ich schüttele energisch den Kopf. Sie lehnt, in einen bodenlangen Kaftan gekleidet, in der Türangel und blättert in der Tageszeitung.

„Warte noch einen Moment", ruft sie mir zu, als sich das Pferd langsam in Trab setzt. „Im Kino läuft gerade 'Umrao Jaan'. Diesen Film solltest du dir unbedingt ansehen. Er handelt von der berühmten Kurtisane Umrao Jaan im Lucknow des vorigen Jahrhunderts. Rekha spielt darin die Hauptrolle. Und sie tanzt die Kathaktanzszenen wirklich sehr gut."

„Ein Film über eine Kurtisane und Kathaktänzerin im alten Lucknow?" frage ich mit wachsendem Interesse.

„Da kannst du sehen, wie dein neues Chhopka von den Hoftänzerinnen unter ihren Schleiern getragen wurde", fügt sie hintergründig hinzu und gibt dem Kutscher Anweisungen, mich zur Nachmittagsvorstellung am Kino abzusetzen.

✳✳✳

"Allah is great", ertönt es von den goldenen Dächern Lucknows. „Zuerst grüßen wir die Sonne", beginnt Umrao Jaan unten in der Stadt ihre morgendliche Gesangsstunde. „Brahma, Vishnu, Mahesh, helft meinem Boot über den Strom des Lebens."

„*Ganz Lucknow wird dir gehören*", *murmelt Umrao Jaans betagter Gesangs- und Tanzlehrer, als er ihr zu Beginn seiner Unterweisung das symbolische goldene Band ums rechte Handgelenk bindet.* „*Sie werden in Scharen kommen, um deinem Gesang und Tanz beizuwohnen. Das Gerücht über deine hohe Kunst und Schönheit wird bald bis zum Hofe vordringen.*"

Und der alte Mann behält recht. Sogar der angesehene, begehrenswerte Nawab Sultan wird von dem Zauber Umrao Jaans gefangengenommen. Als er ihr endlich gegenübersitzt, und seine Augen sich verlangend in die ihrigen senken, sagt er unsicher: „*Ich besuche nie Bordelle.*"

Im Kino wird es drückend still. Die indischen Kinogänger warten auf eine lange Kußszene. Doch statt sich ihrem neuen Verehrer hinzugeben, wird Umrao Jaan von Erinnerungen gepeinigt. Erinnerungen an Amiran, das zwölfjährige Mädchen aus Bangla, und an ihren kleinen Bruder. Erinnerungen an ihren Vater, wie er zum Markt reitet, an die Mutter, die ihr noch scherzend zugerufen hatte: „*Was, du bittest Vater um eine Puppe? Jetzt, wo du schon verlobt bist!*" *Dann sieht sie sich plötzlich gefesselt auf der Tonga, dem Pferdekarren, ihres bösen Onkels Dilwar, der einen heftigen Streit mit ihrem Vater über seinen Taubenschlag gehabt hatte.* „*Sollen wir sie aus Rache im See ertränken?*" *überlegt der Onkel mit seinem Komplizen.* „*Laßt uns lieber nach Lucknow fahren und sie dort an ein Bordell verkaufen.*"

„*Was ist mit dir?*" *Nawab Sultans Stimme reißt sie von der Vergangenheit los.* „*Nichts*", *entgegnet sie stockend und hebt ihr schönes, über und über mit kostbarem Schmuck behängtes Gesicht zu ihm auf. Tränenerstickt flüstert sie:* „*Mit dir an meiner Seite erinnere ich mich an nichts.*"

Doch die Romanze zwischen der Kathaktänzerin, Sängerin, Dichterin und Kurtisane Umrao Jaan und dem hochgestellten Sultan ist zum Scheitern verurteilt, Nawab Sultan standesgemäß einer reichen Nichte versprochen.

„*Tu, was deine Mutter von dir verlangt*", *sagt Umrao Jaan tapfer, als er ihr seine bevorstehende Verlobung mitteilt.* „*Deiner Mutter*

Anspruch auf dich ist größer. Ich gebe mich schon zufrieden, wenn ich dich nur weiterhin sehen kann."

„Mutter wird auch das nicht gefallen", erwidert Nawab Sultan knapp.

Nach ihrer gescheiterten Liebe versucht Umrao Jaan vergebens, dem Bordell zu entfliehen. „Du bist niemand in einem Bordell", stellt ihr Gesangslehrer resigniert fest. „Aber die ganze Welt gehört dir. Ja tanzen, das mußt du!" Umrao Jaan, mit der Dichtung von Versen zu Ruhm gelangt, legt ihre ganze Seele in ein Lied. Sitzend, den weiten Rock wie eine beschützende Insel um sich ausgebreitet, hebt sie suchend die Hand. Jetzt kommen Willensstärke und Festigkeit in ihren Ausdruck. „Ich habe nicht gefunden, wonach ich suchte", singt sie, „aber stattdessen habe ich die Welt kennengelernt. Ich hege weder Bedauern, noch habe ich dir Unannehmlichkeiten bereitet. Somit habe ich die Tradition der Liebe fortgeführt. Ich weiß nicht mehr, wann ich dich traf, noch, wann ich dich verlor. Das Leben sah dich nur in einem Traum. Was kann ich über meine Verfassung sagen? Die lange Reise des Lebens lege ich jetzt ganz allein zurück."

Doch Umrao Jaans Mißgeschick hat sich damit noch nicht erschöpft. Auf der Flucht vor den Engländern führt ihr Weg sie nach Bangla zurück, in ihr Heimatdorf.

„Vater", erfährt sie von ihrer Mutter, die ihr weinend in die Arme fällt, „ist schon lange tot."

„Und wo ist mein kleiner Bruder?" fragt Umrao Jaan.

„Dein Bruder?" fragt ein Mann und tritt aus dem Dunkel auf sie zu. „Du hast keinen Bruder mehr. Nichts als Schande hast du über unsere Familie gebracht. Hätten sie dich doch damals im See ertränkt. Und jetzt geh! Du bist nicht Amiran, meine Schwester. Du bist Umrao Jaan, die Kurtisane aus Lucknow."

Umrao Jaan kehrt mit Khanum, der Besitzerin des Bordells, nach Lucknow zurück und sucht dort ihr zerstörtes und geplündertes Gemach auf. Sie wischt den dicken Staub von ihrem Spiegel weg, kniet davor nieder und sieht sich, am Ende des Films, regungslos ins Gesicht.

In den kommenden Tagen verschlimmert sich Rohinis Erkältung, so daß sie ihre Lehrtätigkeit an der Kathak Kendra schließlich frühzeitig abbrechen muß. Anstatt die lange und beschwerliche Rückreise nach Poona anzutreten, fahren wir zu ihrer Schwester Pramilla nach Kanpur.

„Schon damals, während des Unterrichts bei meinem ersten Guru Mohan Rao, im Keller des Bhatkande College of Hindustani Music in Lucknow, habe ich so schrecklich gefroren", bemerkt sie auf der anderthalbstündigen Taxifahrt, und zieht sich dabei den Kashmiri-Schal eng um die Schultern. Ich erinnere mich an den stattlichen, grauhaarigen Mann, den sie während der Kathak-Konferenz in Bhopal mit solcher Ehrfurcht begrüßt hatte und der für seine energische, präzise Fußarbeit und die Kenntnis alter Sanskrittexte bekannt war. Schläfrig fragt sie: „Wie war der Film?"

„Mehr als der effektvolle Tanz hat mich die Dichtung berührt", erzähle ich ihr. „Umrao Jaans Verse haben mir einen Zugang zu ihrer Person vermittelt, die im Angesicht des aussichtslosen Schicksals nur um die Sehnsucht weiß, ein Gefühl, in das sie sich, voller Trauer, hineinflüchtet und singt: 'Das, was kein Gesicht, keinen Namen hat, warum verlangt es mich unaufhörlich nach solchem?' Aber trotzdem", gebe ich zu bedenken, „als eine andere Tänzerin im Gespräch vermutet, daß es die karmische Kette ist, die ihre mißliche Lage in diesem Leben ausgelöst hat, antwortet ihr Umrao Jaan: 'Nein, es sind die äußeren Umstände gewesen!'"

Rohini nickt zustimmend: „Die klangvolle, aus dem Persischen abstammende Urdu-Sprache des Films eignet sich ja auch hervorragend zur Dichtung." Dann erzählt sie mir, sie habe einmal auf Einladung Shambu Maharajs im ehemaligen Haus von Bindadin Maharaj in Lucknow getanzt. „Shambu Maharaj selbst gab bei dem Fest ein Gedicht von Surdas zum besten", erinnert sie sich. „Darin beschreiben die Gopis ihre lange Trennung von Krishna. 'Sogar die Vögel, wenn sie im Flug an Krishna erinnert werden, halten plötzlich in den Lüften inne', klagten die liebeskranken Kuhhirtinnen, und Shambu Maharaj zog während der Zeile abwechselnd eine Augenbraue in die Höhe, um damit den Flug der Vögel anzudeuten. Als aber Krishnas Name fiel, da hielt er die Brauen plötzlich still. – Unglaublich", fügt sie selbstvergessen hinzu, und nickt kurz darauf neben mir ein.

***

5 Jahre später: Rohini drängt sich in die enge Umkleidekabine herein, die auf dem Festgelände des Begum Hazrat Mahal Parks in Lucknow aufgestellt ist, und in der es weder Kleiderhaken, noch einen Spiegel oder eine Ablage gibt. Mein zartlila Tanzkleid, aus schwerer Brokatseide mit durchwebten Goldmustern verziert, hängt von einem Nagel an der rohen Backsteinwand. Die vermoderte Baracke steht in einem eigenartigen, unwirklich anmutenden Gegensatz zu den verstreut in ihr herumliegenden, glitzernden Schmuckstücken und den prächtigen Kleidern. Sie hätte ebensogut der Kerker einer geraubten Prinzessin sein können, die dort in fliegender Eile ihre königlichen Gewänder zurücklassen mußte. Ich rücke die Kerosinlampe näher an mein Gesicht, ziehe den kleinen Taschenspiegel hervor und bin froh, mich schon vorher im Hotel geschminkt zu haben.

Das sandige Freigelände des Begum Hazrat Mahal Parks, alljährlicher Schauplatz des „Lucknow-Festivals", steht voller Reihen von Holzbuden, die an die engen, unübersichtlichen Gassen im alten Bazar erinnern. Traditionelle Kunsthandwerker demonstrieren hier ihr Können und bieten ihre Waren feil: Kämme aus Büffelhorn, bunt bemalte Drachen, Ittar – ein Parfüm, das schon die Nawabs benutzten, Mehndi – die Kunst des Auftragens von feinen Henna-Mustern auf Hände und Füße, Bidri – mit Silber eingelegte Metallwaren, Ton und Terrakottafiguren, Baumwollspielzeug und Chikan-Handarbeiten.

Nach der Generalprobe für mein Kathak-Solo auf der Bühne des großen, mit blauweißen Stoffplanen verhangenen Festzelts waren Rohini und die anderen am Nachmittag zum Einkauf in den Bazar gegangen. Ich war im Hotel geblieben, um mich vor dem Auftritt zu entspannen. Acht Jahre waren verstrichen, seit ich Rohini zum ersten Mal begegnet war. Inzwischen lebte ich, zusammen mit meinem japanischen Mann, in Tokio. Ich hatte ihn kennengelernt, als er nach Indien kam, um auf der Sitar zu spielen. In Tokio hatte ich eine Zweigstelle der Nrityabharati gegründet und unterrichtete dort ein Dutzend junger Japanerinnen im Kathak. Rohini war auf meine Einladung nach Japan gekommen, und 1987 hatte ich uns eine gemeinsame Tournee durch Holland und Belgien organisiert und sie anschließend nach Deutschland mitgenommen. So oft es mir möglich gewesen war, hatte ich weiter unter Rohini in Indien gelernt. Doch die wenigen Male, die ich ein Angebot für einen Kathak-Auftritt in Indien bekam und sie nach altem Brauch dazu um Erlaubnis bitten mußte, hatte sie abgelehnt. Heute würde ich, nach acht Jahren Training im Kathak, das erste Mal auf einer Bühne in Indien auftreten.

Ich gehe langsam auf den Hintereingang der Bühne zu. Stimmengewirr tönt mir aus dem großen Zelt entgegen. Draußen, vor dem Eingangstor, spielt der Schlangenbeschwörer wieder auf seiner Kobra-Flöte. Ich spüre meinen Körper bis in die Finger- und Fußspitzen, doch bin ich innerlich ruhig. Das Lampenfieber der vergangenen Tage hat sich gelegt. Rohini, die sich mit dem Beleuchtungstechniker unterhält, dreht sich zu mir um, als hätte sie mein Kommen wahrgenommen. Ihr Sari ist von einem leuchtenden, undurchdringlichen, tiefen Blau.

„Es ist soweit", sagt sie und tastet nach den Sicherheitsnadeln, die den gerafften Chiffonschal über meiner Brust zusammenhalten. Ich stecke die langen Enden des in mein Haar eingeflochtenen, mir bis zur Taille hinunterreichenden Zopfes fest in den engen Silbergürtel, hole mir Rohinis Segen und begebe mich zur anderen Seite der Bühne.

Rohini stimmt den Alab, einen langsam gesungenen Prolog zum Gebet, an. Ich trete ins Scheinwerferlicht hinaus. Die Begleitmusiker sitzen seitlich, längs der Bühne, auf einem ausgerollten Teppich. Unser Tablaspieler steckt sich noch schnell eine Betelnuß in den Mund, Rohini schluckt mehrere Male angestrengt, um ihre Kehle zu klären. Ich führe das Namaskar vor ihr aus, und sie lächelt mir ermunternd zu. Dann nehme ich die Haltung zum Gebet an drei tanzende Götter des Hindu-Pantheons, Ganesh, Sarasvati und Krishna ein.

Kurz darauf wirbeln meine Füße über die Bühne. Ihr donnernder Aufschlag auf den rauhen Holzplanken klingt wie ein dumpfes, rollendes Dröhnen. Die dreitausend Zuschauerstühle sind gut zur Hälfte besetzt, immer noch strömen Menschen in die Halle hinein. Als Kathaktechnik präsentiere ich den ausgelassenen und fröhlichen Siebenertakt. Mein Sarangi- und mein Harmoniumspieler sind aus

Lucknow und begleiten sonst die Tänzerinnen der Kathak Kendra. Beide sind beim Spielen des ausgefallenen Siebenerzyklus, des Rupak-Tal, unsicher. Aber Rohini ist für technisch schwierige Kompositionen bekannt. "*Ti ti ka ta ghe de gi na dha*", rezitiert sie, ihre melodische Stimme hebt sich deutlich von den Instrumenten ab. "*Ti ti ka ta ghe de gi na dha*", wiederholt sie, jetzt in doppeltem Tempo. Ich trete vor das Bodenmikrophon, damit meine Fußarbeit zum Publikum herüberschallt. Bei der letzten Variation im vierfachen Tempo geraten die Musiker ins Schleudern, Rohini muß mitten im Tihai abbrechen. Wir beginnen von vorn. Einige der geladenen Gäste in der vorderen Sofareihe mustern schon seit Beginn der Vorführung mein Gesicht, andere wieder schlagen den Takt. Als ich während meiner schnellen Parans Zwischenapplaus bekomme, wächst meine Zuversicht. Das dichte Meer von Menschen trägt mich. Die Gats, die langsamen, eleganten Bewegungsstudien, geben mir eine kurze Atempause, dann folgen die letzten Parans und Tihais, die rasend auf ihr Crescendo zusteuern. Das Kleid klebt nur noch an mir. Nach dem letzten der spritzigen Tihais stehe ich fest auf der Stelle, umfangen von Stille – und Applaus.

Rohini kündigt den letzten meiner Tänze an, den Thumri von Bindadin Maharaj. Es ist dasselbe Liebeslied, das sie schon Jahre zuvor mit mir geübt hatte, und das ich wegen ihrer Wiederholungen und ständigen Kritik manchmal meinte nicht mehr länger ertragen zu können. Als ich in Lucknow als Radha wieder auf die Bühne hinaustrete und Krishna frage, warum er mir den Weg verstellt hat, bin ich mir einen Augenblick lang der Ironie der Situation bewußt, ausgerechnet diesen Thumri und dann vor solch eingeweihtem Publikum zu tanzen.

Ich schmücke die erste Liedzeile mit verschiedenen Gesten und Blicken aus. Im Saal ist es eigenartig still geworden. Ich bin plötzlich ganz in mein Schauspiel vertieft. Eine alte Geschichte, ein Echo aus jenen verschwundenen Zeiten geht von den hier versammelten Menschen aus und bereichert mich um spontane Gefühle, die so manchen oft wiederholten Schritt, so manche lang eingeübte Bewegung mühelos auf der Stelle erneuern. "Die religiöse Bedeutung des Tanzes ist uns verloren gegangen", hatte Rohini gesagt, "aber der geistige Gehalt des Tanzes lebt weiter in der vollkommenen Hingabe der Tänzerin an ihre Kunst!"

An diesem Abend habe ich Radha aufgefordert, sich in meinem Tanz zu offenbaren, und Radha, berauscht von ihrer Liebe zu Krishna, dabei aber geziert und verhalten, verspürt das Aufflammen ihrer kostbaren Seele durch meine Gebärden wieder. Sie befreit sich aus Krishnas überraschendem Griff, packt Hals über Kopf ihr Bündel und verläßt wütend das Dorf. Jetzt halte ich im Tanzen inne, und Radha schließt verklärt die Augen. Von irgendwoher erklingt eine verlockende Melodie und spricht zu unseren verschütteten Träumen. Selbstvergessen stehe ich vor meinem Publikum und wiege meinen Körper hin und her. Krishnas Flöte liegt jetzt sanft in meinen Händen. Ich spüre, daß irgendein Gott, unvorstellbar schön und schrecklich zugleich und in ewiger Umarmung mit der Großen Göttin verschlungen, in diesem Moment, in diesem Tanz, unsere Erde durchdringt.

„Hervorragender Kathak von Amrit Stein", lautet die Schlagzeile im *Pioneer* sowie in der *Nation*, der Regionalausgabe der *Times of India*, „... Amrit Steins Kathak gelangte sich und Guru Rohini Bhate zu allen Ehren. Ihr anmutig dargebrachtes Gebet wie auch die darauffolgenden Amad, Paran, Tihais, Chakkars, Tatkar und Gatnikas wurden mit Präzision und Grazie ausgeführt. Aber am besten war sie zweifellos in Bindadin Maharajs Thumri. Zur Melodie des Rag Desh verlieh Amrits Darbietung der Komposition einen neuen Funken."

Die Kritiken schmeicheln mir. Gleichzeitig bin ich mir aber bewußt, daß ich als Kathaktänzerin erst ganz am Anfang stehe. „Besorge auch mir ein Exemplar der Kritiken" sagt Rohini, als ich sie frühmorgens zum Zug begleite.

„Du hast ja gar nichts zum Essen für die Reise mit!", fällt mir ein.

„Pramilla wird mir in Kanpur auf dem Bahnsteig das Essen ins Abteil reichen", antwortet sie und fragt: „Kommst du eigentlich vor deinem Rückflug noch einmal nach Poona zurück?"

„Ich glaube nicht", erwidere ich.

„Laß mich wissen, was du machst", sagt sie noch. Ich nicke, und beuge mich zu dem staubigen Boden der Plattform hinunter, um ihre Füße zu berühren.

„Auf Wiedersehen, Rohiniji."

Sie legt die Hände im Gruß zusammen und verschwindet bald darauf im dichten Gedränge des Zuges.

Creation –
experimentelle und pädagogische Aspekte

Die Renaissance des unter britischer Kolonialherrschaft gesellschaftlich abgewerteten und somit fast in Vergessenheit geratenen Kathaktanzes wurde durch die legendäre Tänzerin Menaka im Jahre 1926 eingeleitet. Und dank der schöpferischen Kraft heutiger, bedeutender Tänzerpersönlichkeiten, wie Birju Maharaj, Kumudini Lakhia und Rohini Bhate, hat sich die schon unter Wajid Ali Shah begonnene Form des Kathak-Balletts zur vollen Blüte entwickelt. Diese phantasievollen Ballette, deren Choreographien meist für eine Gruppe von Tänzern gemacht werden, sind sowohl altüberlieferten als auch zeitgenössischen Themen gewidmet. Sie zeichnen sich unter anderem durch moderne, spannungsgeladene, abstrakt-dekorative Bewegungs- und Rhythmus-Formationen aus, wie zum Beispiel in den hier abgebildeten Fotos des Balletts Atah Kim von Kumudini Lakhia.

Auch eignet sich Kathak als Bühnenpräsentation vor einem größeren Publikum (verglichen mit den intimen Darbietungen im Tempel oder am Hof), da im Kathak die theatralische Gestensprache als Ausdruck des ganzen Körpers auch aus beträchtlicher Entfernung sichtbar wird. Neben der Gestensprache ist im Kathak der rhythmische Aspekt ein weiteres Kommunikationsmittel, das den direkten Zugang eines uneingeweihten Publikums zu dieser Tanzform erleichtert.

Die großartige ästhetische Gestaltung und die tiefgreifende Beherrschung der Technik des Kathak bleibt allerdings den Meistern in der Kunst vorbehalten. Sie beschwören die Magie des Tanzens immer wieder aufs neue. Und sie suchen nach dem Ursprung der sich in der äußeren Formgebung des visuell ausgerichteten Tanzes entfaltenden Kräfte, denen sie neuen Ausdruck verleihen.

Im Rahmen der in diesem Buch nur kurz umrissenen Kathaktechnik sollen die folgenden Vorschläge zur Improvisation für den tanzinteressierten Leser eine freie, ungezwungene und spielerische Umsetzung der verschiedenen Elemente des Kathaktanzes ermöglichen. Das Üben der den Kapiteln zugeordneten praktischen Anleitungen (insbesondere Kapitel 1, 2, 5 und 6) ist aber die Voraussetzung der Improvisation.

Im Indischen Tanz gibt es neun „Navarasas" oder Gefühlszustände: Liebe (Shringara), Mut (Vira), Mitgefühl (Karuna), Spott (Hasya), Verwunderung (Adbhuta), Zorn (Raudra), Furcht (Bhaya), Abscheu (Bibhatsa) und Frieden (Shanta). In der folgenden Übung, die der Harmonie von Körper und Raum gewidmet ist, wird eine dieser psychologischen Gefühlshaltungen mit ihren verschiedenen Stimmungsnuancen dargestellt. Dieselbe Improvisationsmethode kann aber auch zu einem Gedicht, Satz oder Wort ausgeführt werden.

Den Raum strukturieren und kolorieren: stehe barfuß, die Füße fest auf dem Boden. Lasse den Blick durch den (leeren) Raum schweifen. Fülle den Raum aus, indem du mit dem Blick darin zeichnest. Spüre deinen Rücken und deine Füße: du bist der Mittelpunkt des Raumes! Beginne durch den Blick eine Stimmung (Navarasa) auszudrücken, die du mit Schritten in den Raum hineinträgst. Spüre, wie die Stimmung den Raum ausfüllt, und bewege deinen Körper in Harmonie mit dem Raum. Halte inne, und lasse diese Stimmung jetzt in deinen Händen erwachen und verhelfe dem Gefühl durch das Spiel der Hände zum Ausdruck. Lerne zu warten, anstatt vorschnell zu handeln. Trage das Gefühl, von der Haltung des ganzen Körpers untermalt, durch deine Hände und Augen wieder in den Raum hinein, vielleicht sogar zu bestimmten gewichtigen Stellen des Raumes hin. Laß das Gefühl jetzt durch den Rhythmus der Füße sprechen. Ornamentiere den Rhythmus durch Variationen, wobei ein Tempowechsel auch immer einen Stimmungswechsel bedeutet. Sei dir all deiner Empfindungen beim Tanzen bewußt und beobachte, verfeinere oder ergänze die immer wiederkehrenden Ausdrucksmittel zu einem eigenen Tanz.

Die nächste Übung, eine rhythmische Improvisation über einem gleichbleibenden Grundrhythmus, eignet sich für eine größere, im Kreis angeordnete Gruppe: nimm den gleichbleibenden Taktschlag eines Metronoms, Synthesizers oder einer Trommel, oder laß eine Gruppe von Tänzern ihre Füße immer wieder rhythmisch im Gleichklang aufschlagen. Dabei kann eine immer wiederkehrende Melodie (zum Beispiel auf dem Klavier) den Rhythmus stimmungsträchtig untermalen. Höre dem Rhythmus zu, bis sein pulsierendes Schlagen einen Impuls in Dir weckt. Ornamentiere vier oder acht der möglichst langsamen, gleichförmigen Takteinheiten intuitiv mit (kurzen) rhythmischen Variationen, die anschließend von der ganzen Gruppe wiedergegeben werden. Im Anschluß nimmt die nächste Person im Kreis eine neue rhythmische Improvisation auf. Eine andere Möglichkeit ist die, den den Grundrhythmus ausschmückenden rhythmischen Phrasen so lange zu lauschen, bis einem dazu ein ebenso rhythmisch gesprochener Satz oder eine Wortbedeutung einfällt oder auch, auf das vorherige getanzte rhythmische Muster mit einem „antwortenden" Rhythmus zu reagieren. Greife einige der Improvisationen heraus und systematisiere und variiere sie ganz bewußt, bis sich eine rhythmische Struktur herausbildet. Stelle diese rhythmische Grundstruktur durch Lautsilben (Bols) und ihre jeweiligen rhythmischen Gruppierungen/Unterteilungen anhand des folgenden Systems dar:

Choreographien

Ausschnitte aus dem Kathak-Ballett „Atah Kim" von Kumudini Lakhia

2 Taktschläge:	*taka*
3 Taktschlage:	*takita*
4 Taktschläge:	*taka dimi*
5 Taktschläge:	*taka takita*
6 Taktschläge:	*takita takita*
7 Taktschläge:	*takita taka dimi*

Entwickele auf der Grundlage eines gleichbleibenden Metrums eine eigene Fußarbeit.

Zum Abschluß noch einige einfache Übungen für Unterricht und Spiel: Auf der Grundlage mimetisch nachgebildeter Handzeichen wie Sarpashirsha – der aufgestellte Kopf der Kobra, Mayura – die Krone des Pfaus, Mukulam – die Knospe oder Simhamukham – der Löwenkopf können durch das Spiel der Hände neue Bedeutungen geformt und von anderen erraten werden. Genauso können einfache Sätze dargestellt werden, die jeder der Teilnehmer zuerst nachahmt und dann um eine Wortbedeutung erweitert oder verändert.

Im Einklang mit dem Rhythmus erfährt man Harmonie und Erdverbundenheit. Schon Kinder (ab sieben Jahren) können die praktischen Anleitungen in den Kapiteln 1 – 3, das heißt das Nachahmen der Hastas und den gleichbleibenden Aufschlag der Füße mit koordinierten Hand- und Armbewegungen üben.

Rohini Bhate (in jungen Jahren)

Anhang

Als Hilfe zu einer annähernd richtigen Aussprache sind die indischen Fremdwörter aus der Sanskrit-, Hindi- und Urdu-Sprache mit diakritischen Zeichen versehen, jedoch wurde dabei auf eine streng wissenschaftliche Umschrift verzichtet. Bei den Tanzstilen und den Personennamen, wie der mir bekannte Tänzer und Musiker, habe ich deren eigene, modernisierte Schreibweise übernommen. Bei gängigen Ortsnamen gilt teils die anglisierte Schreibweise wie zum Beispiel in „Delhi" oder die dem Atlas entnommene deutsche Schreibweise wie zum Beispiel in „Golf von Bengalen".

- ein Strich (Balken) über einem Vokal bedeutet dessen Länge: Sari wie Lage
- sh wird wie sch ausgesprochen: Shankha wie Schankha
- j wird wie dsch (Dschungel) ausgesprochen: Kajal wie Kadschal
- v wird wie w ausgesprochen: Sarasvati wie Saraswati
- ein Punkt unter einem n bezeichnet die Aussprache mit zurückgebogener Zunge (Nasalierung)
- ein Punkt über einem n spricht sich wie Hunger oder Ganga
- ein Punkt unter einem t spricht sich wie Tal
- ein Punkt unter einem d spricht sich wie Dorf
- eine Tilde über einem n spricht sich wie im Spanischen senor

Transliteration

Abhijñāna shākuntalam

Abhinaya Darpaṇa

Ājña oder Stirnchakra

Ālāp

Āmad

Apasmāra

Apsarās

Arālaṃ

Ardha-Chandrāsana

Ardhasūchi

Ardhapatāka

Āsanas

Ayōdhya

Bajadēre

Balarāma

Bēgum

Bhāgyachandra

Bhāva

Bheruṇda

Bībhatsa

Bīdri

Bōls

Brahmā

Dādrā

Ḍamaru

Darbār

Dhilwār

Dīdī

Dōla

Dupaṭṭa

Durgā

Dūrvāsa

Duryōdhana

Gandharvās

Gaṇēsha

Garam pāni hai

Garuḍa

Gharāna

Ghunghaṭ-Gat

Ghungrūs

Gīta

Gōpi

Gōpuccha

Guru

Gurūji

Hanumān

Hastās

Hāsya

Japtāl

Jauhār

Jilo Khāna

Jugalbandī

Kailāsh

Kājal

Kāla

Kālī

Kālīya
Kalyāndās mahant
Kapōta
Karkaṭa
Karuṇa
Kartarimukham
Kartarisvastikā
Kastūri
Kaṭakam
Kaṭakamukham
Kaṭakavardhana
Khaṭvā
Kēndra
Khālī
Khānum
Kīlaka
Kshatriyās
Kūrma
Kūrmāsana
Lakshmaṇa
Lāsya
Mahābhārata
Mahārāshṭrā
Māla
Maṇḍala
Mangal Sūtra
Marāṭhi
Mātrā
Mayūra
Mrigashīrsha
Mudrās

Mushṭi
Nāgabandha
Namaskār
Nandī
Narmadā
Naṭarāja
Naṭarājāsana
Naṭavara
Naṭavari-Bōls
Nāṭya Shāstra
Nawāb
Nīlakanṭha
Nrityabhārati
Padmakōsha
Pakhavāj
Pāndava-Bruder
Pārvati
Pāsha
Patāka
Patāka-Hastā
Pēḍha
Prāṇāyāma
Prasād
Pṛthivi
Pushpapūta
Rādhā
Rāg
Rag Dēsh
Rājasthān
Rāma, Rāmāyaṇa
Rasadhāris

Rasalīlā

Rāvaṇa

Rōhiṇi Bhāṭe

Rūpak

Sālamba Shirshāsana

Sampuṭa

Sārangi

Sāri

Sarpashīrsha

Sāt, āṭh, nau

Shābbās

Shakaṭa

Shaktī

Shānta

Shiva-Naṭarāja

Shlōka

Shukatuṇḍa(m)

Sindhūr

Sītā

Sūchi

Sultān

Sūrdās

Sūrya

Svastikā

Tāl

Tāl-Prāṇa

Tāla-Māla

Tāmracūḍa

Tāṇḍava

Tawāifs

Thāt

Ṭhumrī

Tihāī

Tintāl

Tōḍas

Tōlāsana

Tripatāka

Trishūla

Ushā

Uttānāsana

Utthita Trikōṇāsana

Varāha

Vāsuki

Vibhūti

Vīṇā

Vīra

Vīrabhadrāsana

Vṛkshāsana

Vyāghra

Yashōda

Yōga

Yōgi u. Yōgini

Amrit Stein

Walter Lübeck

LEA –
Lebensenergiearbeit

**Die Grundlagen der feinstoffli-
chen Lebensenergiearbeit verstehen und kreativ einsetzen
Das Handbuch zur persönlichen
und globalen Heilung**

LEA – Lebensenergiearbeit – das
sind alle Methoden, die mit der
Wahrnehmung und Beeinflussung
feinstofflicher Kräfte arbeiten, die
Spiritualität auf praktische Art und
Weise in unser Leben integrieren
und natürliche Fülle und Harmonie
verbreiten. Noch nirgends sonst
wurden die Lebensenergien, mit
denen spirituelle Systeme arbeiten,
so ausführlich und differenziert dargestellt sowie praktische Anleitungen gegeben. Auch auf mögliche
Probleme bei falscher Anwendung
von Lebensenergie wird eingegan-
gen, ebenso auf Visualisierung,
Farbenergieheilung, Atemarbeit
und Rituale.
272 Seiten, DM/sFr 24,80/
öS194,00, ISBN 3-89385-154-2

Werner Koch

Die Kraft der Visionen

**Mit der Kraft der Vorstellung
neue Ziele stecken, Wünsche
realisieren, Energie freisetzen
und dem Leben entscheidende
Wendungen geben
Neue Perspektiven und Horizon-
te entdecken**

Visionen sind Energiequellen, die
unseren Handlungen Richtung und
Sinn geben. Sie führen uns aus
Gewohnheiten heraus, lassen neue
Lösungsmuster vor unserem inneren Auge entstehen, erweitern
unser Verständnis und verändern
unsere Wirklichkeit.
Visionen haben heilende Kraft: Wir
können mit ihrer Hilfe das Hormon-
system stärken und erkrankten Zel-
len den Weg zur Gesundung zeigen. Bilder, die krank machen,
werden zu Krankheitsbildern.
Dagegen werden Vorstellungen zu
Medizin, wenn sie durch heilende
Bilder ersetzt werden.
192 Seiten, DM/sFr 19,80/
öS 155,00, ISBN 3-89385-158-5

Kimberley Marooney

Engel – Himmlische Helfer

Engel-Karten für göttliche
Führung und Inspiration

Engel sind himmlische Helfer, sie
wollen helfen und unterstützen, die
göttliche Wahrheit und Zusammen-
hänge zu erkennen und Hilfe und
Beistand in allen Lebenslagen lei-
sten.
Kimberley Marooneys Werk ist
bestens geeignet Menschen in
Kontakt, mit den himmlischen Hel-
fern zu bringen. Verschiedenste
Legesysteme mit entsprechenden
Interpretationen erleichtern den
Weg und schon nach kurzer Zeit
können wir unsere himmlischen
Helfer bewußt wahrnehmen.
Je stärker wir uns der Weisheit der
Engel öffnen, desto mehr werden
sie uns mit ihrer unvorstellbaren
Liebe und Freude umgeben.

208 Seiten und 44 Engel-Karten
DM/sFr 49,80/öS 389,00
ISBN 3-89385-144-5

Franz Benedikter

Die Psyche streicheln

**Die Geheimnisse zärtlicher
Berührung.
Wie durch streicheln Hormone
freigesetzt werden, die glücklich,
gesund und schön machen**

Durch sanftes Berühren bestimmter
Körperzonen entspannende oder
aktivierende und euphorisierende
Hormone freisetzen.
Franz Benedikter zeigt mit seinem
kompakten Übungsprogramm, wie
man durch Selbst- und Partner-
Massage, die eher ein zärtliches
Berühren ist, auf das gesamte
Wohlbefinden einwirken kann. Wie
neueste wissenschaftliche Erkennt-
nisse belegen, lösen Berührungen
der Haut hormonelle Reaktionen
aus. Endorphine bringen Glücksge-
fühle, erhöhen die Leistungsbereit-
schaft, heben das Lebensgefühl
und steigern die sinnliche Wahrnehmung.

160 S. DM/sFr 19,80/öS 155,00
ISBN 3-89385-143-7

John Mann • Lar Short

Der feinstoffliche Körper

Einweihung in Theorie und Praxis der Erweckung des Energiekörpers

Jeder Mensch besitzt einen feinstofflichen Energie-Körper, aber nur wenige wissen von seiner Existenz, sind in der Lage, ihn bewußt wahrzunehmen und praktisch zu erfahren.
Kundalini, Chakraenergie, Meridiane, die drei Körper, Aura, das dritte Auge, Nadis, Tantra, Yantra, Yidam sind Begriffe, die in unmittelbarem Zusammenhang mit den Phänomenen des feinstofflichen Körpers stehen und die in dem umfassenden und reich illustrierten Werk von John Mann und Lar Short klar und einprägsam erklärt werden.

219 Seiten, DM/SFr 19,80
ÖS 155,00   ISBN 3-89385-072-4

Henri u. Claudine Czechorowski

Spirituelle Einweihungen

60 einfache und wirkungsvolle Übungen, um Körper, Seele und Geist in Harmonie zu bringen. Atem- und Meditationstechniken, Visualisierungsübungen, Mudra-, Mantra-, Chakra- und Energiearbeit.

Hier sind die essentiellsten Übungen zusammengestellt, die eine Wahrnehmung der spirituellen Kräfte ermöglichen. Diese Übungen sind Bestandteil eines jahrtausendealten Wissens, dessen Spuren die Autoren in Indien und Nepal, aber auch in Europa und in den USA wiederentdeckt haben. Diese ganz auf die praktische Nachvollziehbarkeit ausgerichteten Techniken führen zu einer Harmonisierung des gesamten Menschen, zur besseren Einsicht und öffnen die Kanäle für eine andere, sinnvollere Sicht der Dinge.

208 Seiten, DM/SFr 19,80
ÖS 155,00   ISBN 3-89385-081-3